Milanówek
80 lat temu

D1299539

Malina
miód-dziewczyna

KATARZYNA PAKOSIŃSKA

Malina
miód-dziewczyna

ilustracje
kasia kołodziej

MUZA

BOHATERUROWIE

Malina

Malina – jest uczennicą klasy 5c szkoły podstawowej w niewielkim podwarszawskim miasteczku – Milanówku. W trzeciej części jej książkowych przygód jest tuż po wakacjach, więc spotykamy ją mocno opaloną, na nosie i policzkach ma dodatkowe wypalone przez słońce wesołe piegi. Jest szczupła, choć sama święcie przekonana, że ma za grube nogi. Ma ciemne włosy i duże zielone oczy. To rodzinne, bo jej mama, babcia i prababcia mają takie same. Największym kłopotem Maliny są czochrające się w puch włosy, które wciąż stara się ujarzmić. Inteligentna, sprytna, skora do żartów, ma duże poczucie humoru. Kiedy głośno się śmieje, natychmiast dostaje czkawki. Wciąż coś gubi, może dlatego że ma ogromny problem z utrzymaniem porządku wokół siebie. Szczególnie w plecaku szkolnym. Nie zamyka z niewiadomych powodów swojej szafy. Choć jej otwieranie idzie jej doskonale. Ma bogatą wyobraźnię. Tańczy w zespole tańca nowoczesnego, lubi rysować i jeździć konno. Jej najbliższymi przyjaciółmi są Ewa i Gabryśka. Także jej kuzynki: Zuzia i Zosia oraz koledzy z niemowlęctwa: Franek i Szymek. Przeżywa naturalny kryzys pt. „Nic o życiu nie wiem, jestem brzydka i beznadziejna i nikt mnie nie rozumie", co zmienia się dzięki porywającym ją przygodom. Mimo że ma lęk wysokości, wchodzi na wszystkie możliwe drabiny, z których trzeba ją potem zdejmować. Dziwne przyzwyczajenia sprawiają, że je jedynie jajka na twardo-miękko. Nie nosi zegarka i kapci. Wspaniale jeździ na rolkach. Ma psa Rudzielca. Jest właścicielką magicznego szmaragdełka, dzięki któremu przenosi się w czasie.

Mama Maliny, TOSIA, Antonina – wciąż młoda i bardzo dziewczęca ☺ Jest aktorką, pracuje w teatrze. Bardzo często się śmieje. Ma ciemnobrązowe włosy. Oczy zielone. Trochę roztrzepana, ale to przez natłok obowiązków. Optymistka. Nie ma dla niej problemu, którego nie można by rozwiązać. Nie widzi świata poza Maliną. Lubi dom, niewielki przy nim ogródek i wspólne rodzinne śniadania. Nie potrafi upiec szarlotki, choć w tej części przygód Maliny zmierzy się z bezą owocową według przepisu swojej siostry, cioci Ani. Z ciekawostek: ma bzika na punkcie poprawnego mówienia i jajek sadzonych na boczku. Że nie wspomnę o szpilkach, takich butach na obcasie. Potrafi zrobić trąbkę z języka. Marzycielka. Jako dziecko tańczyła w zespole folklorystycznym. Mąż Tosi – Adam.

tata Adam

Tata Maliny, ADAŚ, Adam – wysoki, szczupły, typ sportowca biegacza, w okularach. Włosy lekko szpakowate. Jest podróżnikiem, większość czasu spędza poza domem. A gdy już w nim jest, pisze artykuły do pism, takich jak „National Geographic". W dzieciństwie nieśmiały prymus w okularach. Malina jest jego oczkiem w głowie. Potrafi kicać jak zając i daje się wkręcić, na przykład na pytanie: jak się nazywa latający koń, odpowiada: „Koniolot". W tej części książki postanawia zabrać się za tresurę Rudzielca, zdradza też swoje pasje, jakimi są zespół piłkarski Celtic Glasgow i jajecznica na śniadanie. Żona – Tosia, którą nosi na rękach i której pozwala wchodzić sobie na głowę ☺

Babcia MARZENKA, babcia Maliny i mama Tosi – brązowe włosy zawsze wysoko upięte klamerką, okulary tylko do czytania i telewizji, zielone oczy; aktywna, lubi jeździć na rowerze, szczególnie na sobotni targ w miasteczku. Gotuje najpyszniejszy rosół na świecie, którym w każdą sobotę obdarza swoich najbliższych. Ma duże poczucie humoru. Z wykształcenia jest biologiem, wynalazła nową odmianę ziemniaka, którą nazwała imieniem swojego ulubionego kwiatu – Irys. Lubi też konwalie. Uwielbia zapraszać na niedzielne obiadki, wymaga absolutnej punktualności.

Potrafi robić niezapowiedziane naloty, czyli wizyty w domu na ulicy Sympatycznej, gdzie mieszkają jej córka z mężem i ukochana wnuczka Malina.

Prababcia IRENKA, mama babci Marzenki, babcia Tosi – ma 99 lat; piękne srebrne włosy, zawsze elegancko spięte z tyłu głowy. Jest nadaktywna jak na swój wiek, co wywołuje konsternację w rodzinie. Jak i to, że jako jedyna nie używa podczas oglądania telewizji okularów. Prowadzi gospodarstwo domowe, od zawsze domem się zajmuje. Ukończyła studia w Warszawie jeszcze przed II wojną światową. Interesuje się nowinkami technicznymi. Potrafi obsługiwać komputer, ściągać pliki, audiobooki. Dużo czyta. Skakała na spadochronie, który został uszyty ze specjalnego jedwabiu wyprodukowanego w rodzinnym Milanówku, który to jedwab w tajemniczy... Psyt! O tym właśnie będzie mowa w tym tomie przygód Malinowych. Niemal wiek przechowała pewną rzecz dla swojej prawnuczki. Zna działanie szmaragdełka. Pierwsza właścicielka radia z zielonym okiem.

Pradziadek KORNELIUSZ, mąż prababci Irenki, tata babci Marzenki, dziadek Tosi – uwielbiany przez wszystkich w rodzinie. Zawsze szalenie elegancki. Lubi nosić muchy. Nie w nosie, tylko takie pod szyją. Stąd często słyszany przydomek „Pan Muszka". Zawsze pogodny, niedający się wyprowadzić z równowagi, i to nawet na oblodzonym chodniku.

W tomie trzecim nie występuje, ale wielce kibicuje swojej żonie, która zagra tu rolę niemal pierwszoplanową.

Dziadek STEFAN, mąż babci Marzenki, tata Tosi – nie występuje w pierwszej i drugiej części książki. W trzeciej również nie zdąży. Na razie! Wiemy jednak, co wtedy robi. Słuchając radia Nostalgia, konstruuje lampy naftowe z dzbanków. Inżynier na emeryturze. Nie może wytrzymać nawet godziny bez babci Marzenki. Właściciel starego zielonego opla, którym wozi wnuczki na różne zajęcia.

Ciocia ANIA, siostra Tosi, córka babci Marzenki – piecze najlepsze ciasta na świecie. Może dlatego że jest bardzo zdolnym chemikiem. Prowadzi zajęcia ze studentami na Akademii Medycznej i prace w laboratorium. Jest wegetarianką. Uwielbia zwierzęta, które pieszczotliwie nazywa noniami. Wesoła, wciąż się denerwuje, że jest za gruba, ale nie ma czasu na odchudzanie. Ma troje dzieci – trzy córki, siostry cioteczne Maliny: Zuzannę, Zofię i Helenę. W tej części podaje przepis na bezę owocową.

Wujek ZBYŚ, mąż cioci Ani – nie występuje w pierwszej części. W drugiej znacząco przez chwilę, by znów nie wystąpić w trzeciej. Jest bardzo zapracowanym dyrektorem w firmie budowlanej. Nie lubi, gdy psy biegają po trawniku przed domem i kiedy dzieci podczas deszczu wsiadają do jego samochodu. Widywany najczęściej z jakimś narzędziem. O, teraz trzyma w ręku śrubokręt. Jakiś stołek skręca...

Naniko – koleżanka z klasy Maliny. Czarnowłosa dziewczynka, która zjawia się w Milanówku na początku roku szkolnego. Z miejsca zaprzyjaźnia się z Maliną. Ciekawa świata. Przyjechała z dalekiej Gruzji, gdzie się urodziła. Jest posiadaczką magicznego przedmiotu Sanuri. W oryginalny sposób czesze swoje włosy, zaplatając je w cztery warkocze.

Zuzia

Zuzia, siostra cioteczna Maliny – to śliczna blondynka bujająca w obłokach. Nosi przydomek Afrodyta i przepiękną bluzkę z jej wizerunkiem. Wszystko ją zadziwia. Robi wtedy z usteczek śmieszny dzióbek. Lubi kończyć wszelkie dyskusje powiedzeniem „luzik arbuzik". Udaje jej się w drugim tomie książki podróżować z Maliną i ze szmaragdełkiem. W trzecim podciąga się z fizyki, więc chwilowo nie występuje.

Zosia, siostra cioteczna Maliny, siostra Zuzi – urocza dziewczynka z wielkimi orzechowymi oczami. Zadaje mnóstwo pytań i lubi być w towarzystwie starszych dzieci. Bo zabawy z nimi są bardziej interesujące. Ziewa natychmiast, gdy się nudzi. W drugiej części Maliny zadała kilka kluczowych pytań, na przykład: czy silnik chodzi i co to jest amol w walcu ☺ W trzeciej spełnia swoje marzenia i zapisuje się na lekcje akrobatyki, gdzie szlifuje efektowny szpagat.

☁ **Helenka, siostra cioteczna Maliny, siostra Zuzi i Zosi** – ma już ponad roczek. Czekamy więc wciąż z opisem postaci, bo musimy zobaczyć, co z tego szkraba wyrośnie. A zapowiada się ciekawie. Proszę zwrócić uwagę na perfekcyjny młynek stopkowy w trakcie chrztu i strzał ze smoka w kierunku zakrystii w drugiej części przygód pt. *Malina szał-dziewczyna*.

☁ **Babcia WANDZIULINA, mama Adasia** – krótkie blond włosy, brązowe wesołe oczy. Lubi nosić sukienki, które w większości sama sobie szyje. Ma rękę do wszystkiego! Mieszka wraz z mężem – dziadkiem Franiem – w bloku, na drugim piętrze. Nie umie się złościć ani obrażać. Uwielbia wypady na swoją działkę za miasto. W trzeciej części przebywa w Zakopanem. Zaraz wyjaśnię, dlaczego...

☁ **Dziadek FRANIO, tata Adasia** – siwe włosy, mały brzuszek. Stanowczy, energiczny. Uwielbia rozwiązywać krzyżówki. Podziwia swojego syna Adama. Wnuczkę Malinę nosi na rękach. W drugiej części nie występuje. W części trzeciej również, ponieważ wygrał wyjazd do Zakopanego, rozwiązując konkurs łamigłówek w gazecie. Tamże z babcią Wandziuliną właśnie przebywają.

☁ **Ewa** – najlepsza przyjaciółka Maliny. W czwartej klasie siedziały razem w jednej ławce. Ewa jest góralką. Ma długie do pasa falowane włosy. Pewna siebie, dowcipna, inteligentna i bardzo zdolna. Ma niewyparzony język.

W części trzeciej wchodzi w dyskusję z panią dyrektor szkoły Marceliną Piorun-Hyży i napomyka, że spędziła wakacje w Kołobrzegu.

🍬 **Gabrysia** – druga najlepsza przyjaciółka Maliny. Brązowe włosy zawsze spięte w koński ogon. Doskonała tancerka, dobra uczennica; ma kłopoty z matematyką. Bardzo chce dorównać wiedzą swoim koleżankom. Łatwo daje się wkręcić w żart, co bardzo ją denerwuje. Zadaje dużo pytań. Prowadzi specjalny zeszyt klasowy, gdzie skrupulatnie zapisuje punkty z pewnej zabawy.

🍬 **Łukasz Milski** – ma 12 lat, uczeń klasy 6b; bystry, wesoły, inteligentny i wrażliwy. Lubi chodzić w bluzie z kapturem. Ma bujną fryzurę i chyba podobne jak Malina kłopoty z jej ujarzmieniem. Świetnie gra w piłkę nożną. Jest fanem FC Barcelona. Wraz ze swoim starszym bratem stworzyli nową grę komputerową. Ma oko na Malinę. W trakcie przygód opisanych w drugim tomie przebywał na wakacjach u swojej babci na wsi. W trzecim odegra kluczową rolę, podkręcając piłkę jak Beckham.

Janek – kolega Maliny z klasy; walczy z wszechogarniającymi go zewsząd romronkami. Troszkę przy tuszy. Ma ogromny problem z koncentracją. Skory do żartów. Potrafi zrobić w pięcioliterowym słowie 7 błędów ortograficznych.

W drugim tomie w nieoczekiwanych okolicznościach zostaje bohaterem miasteczka. W trzecim tomie występuje epizodycznie, trochę jak górnik.

Franek, kolega Maliny i Zuzi – jest synem wujka Marcina, najlepszego przyjaciela taty Adasia. Czarna kędzierzawa, jak i Maliny, czupryna to jego znak rozpoznawczy. Trenuje piłkę nożną i jest najlepszym bramkarzem w powiecie. W drugiej części przygód Maliny odegrał bardzo ważną rolę, wyciągając wtyczkę z kontaktu. W trzecim również wykorzysta swoje umiejętności podczas podróży w czasie. I chyba to napiszę – podoba mu się nowa koleżanka Maliny, Naniko.

Szymek, brat Franka, kolega od najmłodszych lat zarówno Maliny, jak i Zuzi – z wyglądu cherubinek, czyli taki mały aniołek. Bardzo skory do żartów. Nie lubi, kiedy brat zwraca się do niego: „Kapciu". Podczas akcji w trzecim tomie znajduje się na próbie swojego zespołu rockowego, gra na gitarze.

Pan Drążek – najbardziej wredna postać w książce. Ma około 60 lat, choć kto go tam naprawdę wie. Przez jakiś czas był sąsiadem Maliny w kamienicy przy ulicy Sympatycznej. Przeraźliwie chudy, mówi się chyba tyczkowaty, z bardzo długim nosem, który wiele razy jest w opresji przez szybko zamykające się przed nim drzwi. Sprytny. Wiedział o właściwościach radia z zielonym okiem i chciał je wykorzystać. Marzy o bogactwie. Wpadł na przykład na pomysł ukradzenia planów konstrukcyjnych „Kogutka", pierwszego sportowego samolotu z lat trzydziestych XX wieku. Potem próbował ukraść serce Chopina. Normalnie w swych zakusach nie do zatrzymania. Łasuch, lubi jeść, szczególnie słodycze. Zobaczymy, co teraz kombinuje, bo ostatnio widziano go w sklepie, gdzie przymierzał damskie buty na obcasie (?!).

☁ **Marcelina Piorun-Hyży** – dyrektorka szkoły Maliny i jej postrach. Niewysoka, przy tuszy, krótkie rude włosy i bardzo donośny głos. Prowadzi zajęcia komputerowe. Ma obsesję na punkcie zmiany obuwia w szkole. Zobaczymy, jak sobie poradzi w trzecim tomie z dwoma poważnymi zadaniami. Będzie to między innymi komentowanie meczu piłkarskiego!

☁ **Marta Groźny** – przeciwieństwo swojego nazwiska. To bardzo sympatyczna pani polonistka i wychowawczyni klasy Maliny. Wyrozumiała. Spokojna. Z pasją nosi seledynowe garsonki. Jest bardzo szczupła. W części trzeciej dopada ją grypa, leży więc w łóżku z bardzo czerwonym nosem od kataru, który co chwilę smaruje kremem. Ten nos oczywiście. Serdecznie Was w każdym razie pozdrawia. A psik!

Honorata i Elżbieta – dwie paniusie siedzące non stop na rynku miasteczka i komentujące bieżące wydarzenia. W tej części wyjątkowo wystrojone podczas Dni Milanówka.

Rudzielec – pies Maliny rasy seter irlandzki; bardzo przywiązany do domu, choć chodzi bez smyczy; nie lubi pana Drążka. W drugiej części to już w ogóle. Dla cioci Ani to najsłodsza nonia. W trzeciej bawi się w tresurę z tatą Adasiem.

Poza tym w książce udział wezmą… W kolejności alfabetycznej… Albo nie, bo wyrazy się po kartce rozsypały.

Unikatowa kolekcja, z panią dyrektor na zastępstwie lekcja, biała gorączka i słodkie minki. Fiksum-dyrdum, pan Mądry i Jan Sobieski. Piesek, choć w zamyśle autorki miały być jeszcze inne pieski. Poza tym ślimak, elf i kufle. Drabina, wredna pana Drążka mina. Archimedes, wanna i piłka do nogi. Owocowa beza. Ach, i jest jeszcze atlas świata i guziki. I lśniąca limuzyna, adiutant wyprężony jak sprężyna. Stop. Lista naprawdę długa, ale i tak ecie-pecie, czytając, wkrótce wszystkiego się dowiecie.

Ciekawą postacią jest również autorka książki. Mówią na nią <u>**Pakośka**</u>**. Bardzo dużo mówi. I bardzo szybko. Co przekłada się na jej bez ładu i składu pisanie. Plus tysiące dygresji. Pisze z głowy, czyli często z niczego. Ale musi, bo inaczej się udusi. Ma jednak dużą wyobraźnię i mimo**

że jest cztery razy starsza od Maliny, lubi żarty i wygłupy. Tak jak i skakanie na trampolinie. Zdarza jej się też od czasu do czasu zajrzeć do słownika, jak to było w przypadku określenia „fiksum-dyrdum" ☺ Spełnia swoje marzenia i uwielbia się uśmiechać.

PROLOG

czyli z poczuciem humoru
rozpoczynamy opowiadanie
o przygodach Maliny, rozkręcamy się,
rysując potwora i bazgroły,
a także dowiadujemy,
dlaczego Malina jest jak miód,
choć nijak mają się
do tego pszczoły

Cześć dziewczyny, cześć chłopaki, tu Pakośka, autorka książki, którą właśnie otworzyliście. O! Macham do was ze zdjęcia na okładce. Ciekawa jestem, czy pieką Was uszy? Tak choć troszkę. I to nie dlatego że macie na głowie obcisły beret z gumką. Albo wyjątkowo dokładnie wyszorowaliście swoje „dwie klapki do podtrzymywania czapki", jak pięknie o uszach mówi moja sąsiadka, pani Lusia, która ma włochatego kundelka podobnego do strusia. Ha, ha, ha. Z tym dokładnym myciem to już chyba przesadziłam, prawda? Bo kto w ogóle myć uszy lubi? Chyba jakiś Uszacz albo Lubomyjusz. Ale nie znam takiego osobiście. A Wy? No właśnie. Zatem już Wam mówię, dlaczego uszy piec Was dziś powinny.

JAKI PIEC!?????!
Czy piec ma uszy, skoro uszy piec mogą?!

A piec powinny, bo bardzo dużo o Was myślałam. Tak to jakoś jest, i zapytajcie rodziców, babcię lub dziadka lub

kogoś, kto tam obok Was stoi, czy też tak mają. Że myśli się o kimś, a wtedy ten ktoś, nawet gdy jest bardzo daleko, to dotyka uszu, a te aż parzą, takie są gorące. Niesamowite, co? Podejrzewam, że dzieje się tak dzięki niezwykłemu działaniu dobrej energii. Bo się kogoś bardzo lubi. Tak jak Pakośka lubi Was. Tam ta ra ra! I w tym miejscu, żeby nie być Pakośką tromtadracką, przesyłam Wam wielkiego buziaka. Cmoook!

Jakoś dziwnie mi się te usta odcisnęły, ale jadłam przed chwilą makaron spaghetti i tak się w nieskończoność sosem pomidorowym na kartce rozciągnęły. Mniam, mniam. W każdym razie...

Tik-a-tuk

O! Wiadomość. Na Messengerze ktoś przysłał mi wiadomość. Pozwolicie, że szybko przeczytam? Tylko nie mówcie mi teraz, że jestem ciekawska i choć przez chwilę powstrzymać się nie potrafię, by telefon odłożyć. A tak przy okazji, wiecie, po czym poznać, że człowiek jest ciekawy? Bo często wsadza nos do kawy. Ale mi się jeszcze nie zdarzyło. Nawet kawy nie piję. Zatem czytam. Kto to do mnie pisze? Jakie ma fajne zdjęcie profilowe...

🔹 Dzień dobry, czy pani jest autorką książki o Malinie?

🔹 Dzień dobry. 😊 Tak. A z kim rozmawiam?

🔹 Ooo! Super. 😊😊😊 Nazywam się Kajetan, mam jedenaście lat i jestem pani idolem. Od dziecka.

🔹 Cześć, Kajetanie. Naprawdę? To wspaniale. Ale czy my się znamy, bo wiesz, to jednak jest nieodzowne, jeśli jesteś moim idolem? 😊

🔹 Jeszcze nie, proszę pani, ale moja mama bawiła się kiedyś z panią na weselu. Opowiadała mi, że spadł tam wtedy straszny deszcz i wszyscy byli strasznie mokrzy, a stoły z jedzeniem tak podtopione, że ryby, które leżały na talerzach, czuły się jak ryby w wodzie, czego nie można było powiedzieć o gościach, choć w butach porządnie im chlupało, i kiedy się z nich, to znaczy z tych butów, wylewało, to pani strasznie śmiać się chciało...

🔹 Ha, ha, ha, pamiętam! A czy twoja mama miała wtedy na sobie taką czerwoną sukienkę w trapezy?

🔹 Trapezy? 😞

🔹 A czy spadły na nią z tortu truskawkowe bezy?

🔹 Hi, hi, hi. Tak! Tata mówił, że dokładnie na buzię! 😊

🔹 Bingo! Twoja mama jest super. I totalnie na luzie. Ale ty, Kajetanie, to dopiero pan Gaduliński jesteś!

🔹 Nie Gaduliński. Kajetan Krucki się nazywam.

🔹 No tak. 😊 A w jakiej sprawie do mnie piszesz? Bo uciekł nam wątek, a to dopiero książki o Malinie początek.

🔹 No właśnie. Chciałem tylko zapytać o słowo, które pani przed naszą rozmową w książce napisała. I jak to jest, że jeśli pani nas lubi, to nie chce być akurat... trębacka.

⦿ Słucham!??? 😲

⦿ Napisała pani, że nas lubi i w związku z tym nie chce być trębacka. A potem wysłała buziaka w sosie pomidorowym ze spaghetti znienacka. I naprawdę nie wiem, co o tym myśleć.

⦿ Buziaka? W spaghetti? I do tego znienacka trębacka?

⦿ Prawda, że dziwnie? To jakby we Włoszech stała wieża Mariacka.

⦿ Kajetan, moment. Aż zerknę, co ja tam napisałam. Bo to jeszcze tekst przed korektą „surowej" pani redaktor

Gibkiej. 😊♥ Ach! Mam! Chodzi ci pewnie, Kajetanie, o słowo TROMTADRACKA?!

🌑 A tak. Tramta... ta ta... Trom... ta ta. Tromtadracka. Uff.

🌑 Niesamowite i do tego prawdziwe polskie słowo. Jest jak dźwięk trąbki połączony z draką, czyli potężną awanturą co najmniej na cztery fajerki. Wymyślił je bardzo dawno temu pewien pan, który był satyrykiem.

🌑 Satyrykiem, czyli kimś takim, kto pisze śmieszne wierszyki?

🌑 Nie tylko. Mogą to być też piosenki. Albo rysunki. Taki satyryk pokazuje, a także w ciekawy i mądry sposób wyśmiewa głupotę czy inne bzdury, które ludzie często w życiu sobie wymyślają.

🌑 A po co?

🌑 Po co wymyślają? Ach, to już niestety temat rzeka, Kajetanie. W każdym razie, jeśli mówimy o kimś TROMTADRACKI, to znaczy, że jest on nie do końca szczery, najczęściej krzykliwy i głośny. Robi coś po to, by się przypodobać innym. Można powiedzieć, że „trąbi" bez sensu, byle tylko było go widać i słychać...

🌑 Tak jak politycy w telewizji?

🌑 Bardzo dobry przykład, Kajetanie. Mogłabym też w tym przypadku użyć innego słowa niż tromtadracka. Na przykład mogłabym napisać, że nie chcę być GOŁOSŁOWNA. Ale lubię siebie i słowa ubierać. Także łączyć w pary. Szczególnie gdy temperatura spada poniżej dziesięciu stopni Celsjusza i fajnie się wtedy przytulić 😊

PRZYTULAMY SŁÓWKA

Zapraszam Was do pierwszej zabawy. Wyobraźcie sobie, że za oknem jest siarczysty mróz. Temperatura poniżej zera. A na tym mrozie skaczą bez szalików, czapek i kurtek porozdzielane, czyli takie „nieubrane" SŁÓWKA. Pomóżcie im i połączcie je w pary. Jeśli na przykład po podwórku za oknem biega samotny WARIAT, to szukamy mu towarzystwa i na przykład łączymy ze słowem ANTYK (to coś takiego bardzo starego i wartościowego). I jakie słowo mamy?

ANTYK + WARIAT = **ANTYKWARIAT**

A teraz Wy połączcie w trzy pary podane poniżej słowa. Które da się skojarzyć? Stwórzcie wspaniałego tancerza, sportowca, który występuje na ringu, a także najlepszego skoczka wśród polnych traw.

MISTRZ	SER	I	PAS
BOK	BALET	KONIK	

❻ Ja sobie to wszystko, proszę pani, przemyślę. Mogę jeszcze o coś zapytać?

❻ Bach, buch. Strzelaj, Kajetanie.

- Czy wie pani, jak wybuchają wulkany na Hawajach?
- Ciśnienie?
- Nie. Magmy. Do widzenia pani!

Fajny ten Kajetan. Wiedzieliście o tych magmach? Tak?! Jesteście wspaniali. Muszę się więc podszkolić. Ale nam się prolog naukowo rozpoczął... Choć może nie do końca, bo o piekących uszach było. Zatem wracamy do tematu.

Wiecie, nad czym się zastanawiałam, myśląc o Was, a Was tymczasem uszy piekły? O tym, jak by Was do rozpuku rozśmieszyć. Myślałam i myślałam. I siedząc, i skacząc, i stojąc na rękach... Niestety, nic mądrego mi do głowy nie przyszło. Nie martwcie się jednak. Tylko mądrego! Bo głupot to cała masa. Wystarczyło, że się tylko położyłam. I popatrzyłam przez okno. A tam ptak, taki zwykły dachowiec. I już wiem! Zatem pierwsza zagadka.

Czy wiecie, jak wygląda gołąb?
Normalnie.
Przez okno.

Ha, ha, ha. Nie za mądre, co? Ręka w górę, kogo rozśmieszyło. Oho, nie wszystkie palce w górze widzę. Zatem zostajemy przy ptakach i próba rozśmieszenia druga:

Czy wiecie, jak się nazywają malutkie sowy,
które mówią TAK?
Taksówki.

Gili, gili, gili. Pogilgotało Was trochę? To gilgotanie bardzo zależy od tego, czy macie coś, co nazywamy **poczuciem humoru**. Nie macie tego w kieszeni albo w plecaku. Nie możecie też tego dotknąć. To mieszka w środku Was. I powiem Wam, że jak będziecie je pielęgnować, to będzie rosło i rosło. Ogólnie rzecz biorąc, fajnie jest mieć poczucie humoru. Dzięki niemu bez przerwy się śmiejemy. Romronki nie atakują nas zbyt często. I prawie wcale nie chorujemy! Bo śmiech jest najlepszym lekarstwem na świecie. Poza tym dzięki poczuciu humoru mniej się boimy. Na przykład potwora, który mieszka w szafie. Chyba każdy z nas spał kiedyś w nocy przy zapalonym świetle, bo bał się ciemności, z której przerażający stwór mógł się wyłonić, prawda? Jeśli jeszcze tak macie, zdradzę Wam sposób, jak poczuciem humoru pokonać straszne dziwadło. Widzicie ten pusty obrazek w ramce pod spodem? To przyszły portret Waszego potwora, który teraz namalujecie WY. Dacie radę? Oczyma wyobraźni na pewno go już przecież widzieliście. Postarajcie się go narysować, a potem użyjemy magicznego działania poczucia humoru. Gotowi? To teraz hulaj dusza – piekła nie ma!

Dorysujcie potworowi na przykład zielone glutki kapiące z nosa.

KAP KAP

Albo majteczki w kropeczki. Ba! W bałwanki! I może jeszcze różowy smoczek w paszczy? Świetnie! Zamalować mu ząb też nie zaszkodzi. I jak? Prawda, że mniej straszny? Ha, ha, ha. Nawet śmieszny! Myślę, że teraz spokojnie możecie w nocy wyłączyć lampkę. Gdyby teraz potwór miał jeszcze odwagę zrobić Wam psikusa i jednak wylazł z tej szafy, to go zwyczajnie wyśmiejecie.

Jeśli ktoś z Was nie potrafi dobrze rysować, to proponuję metodę odstraszania potworów wierszykiem. Mam kolegę, który się nazywa Jurek. Jurek, gdy był jeszcze bardzo mały, lubił się śmiać i żartować. Wszystko go bawiło. Miał bardzo duże poczucie humoru, które tak z nim rosło, że dziś prócz tego, że ma duży brzuch, jest też znanym satyrykiem. I właśnie Jurek opowiedział mi historię, jak wyleczył żartem ze strachów swojego młodszego brata. Bo ten bał się potwornie potworów, transformersów i wszelkich innych duchów, karaluchów i wampirów. Wiecie, co Jurek robił? Wymyślał śmieszne powiedzonka. Gdy jego braciszek trząsł się ze strachu, że zaraz porwą go duchy, on odpowiadał:

TAKIE DUCHY,
KTÓRE MAJĄ TŁUSTE PALUCHY?

Gdy braciszek płakał, że pożrą go wampiry, żartował:

JAKIE WAMPIRY? TE,
CO MAJĄ CUCHNĄCE GIRY?

I potem wymyślał najbardziej głupie i bez sensu piosenki. Na przykład na melodię *Wlazł kotek na płotek*. I śpiewał je tak długo, dopóki braciszek się nie roześmiał! Też spróbujcie:

SPADŁ DUSZEK NA BRZUSZEK
I WRZESZCZY,
TWARDA TAM PODŁOGA
I TRZESZCZY.
DUCH WRZESZCZY,
STO KLESZCZY ZMYKA,
AŻ TY MI WAMPIRKU... GIRĘ WĄCHAĆ DASZ!

Ale macie miny. Może to rzeczywiście nie jest śmieszne.
Zatem, uwaga! Robimy chwilę relaksu. Bierzemy flamaster,
kredkę lub długopis i na tablicy poniżej mażemy bazgroły.
Blerblur zgrzyt tra kra grumza. Ale jazda! Totalna!

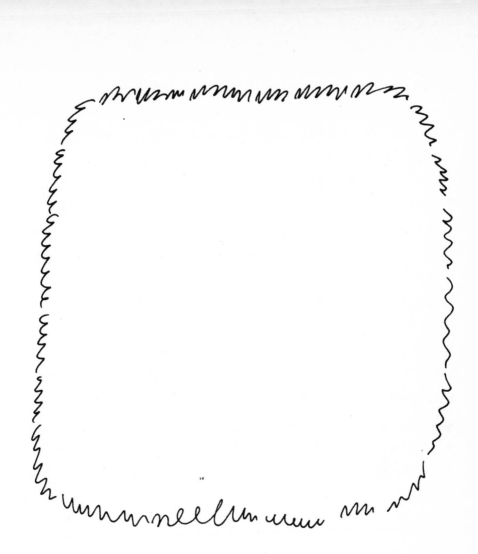

Bardzo się cieszę, że z większością Was już się znam. Poznaliśmy się przecież dzięki książkom *Malina cud-dziewczyna* i *Malina szał-dziewczyna*. Z Waszych listów i rysunków, które mi przesłaliście, wydedukowałam, że świetnie się z Maliną bawiliście. Czas zatem na kolejną porcję przygód.

Teraz najważniejsza chwila. Pora przedstawić Malinę wszystkim tym, którzy jeszcze nie zdążyli jej poznać. Ma dziesięć lat i tuż po wakacjach rozpoczęła naukę w piątej klasie szkoły podstawowej w Milanówku. W 5c. Tu Malina bardzo mnie prosi, by to podkreślić, bo według niej i 5a, i 5b nic się nie zmieniły i wciąż kompletnie do niczego się nie nadają (*podkreślamy zatem 5c czerwoną kredką*).

Jak wygląda Malina? Najnormalniej na świecie. Jak każda dziewczynka w jej wieku. Choć teraz, po wakacjach, jest bardziej opalona, a na nosie i policzkach pojawiły się wypalone przez słońce wesołe piegi. Jest szczupła, choć święcie przekonana, że ma za grube nogi. Kiedy dopada ją Dzień Romronka, a co to za beznadziejny dzień wyjaśnię Wam za chwilkę, ma zwyczaj siadania na sofie. Rozpłaszcza wówczas dwa uda, rękami przyciskając je ze wszystkich sił do siedziska, i patrząc z góry na rozmiar ich maksymalnego rozpłaszczenia, załamuje się kompletnie. I na nic się zda tłumaczenie, że to normalne, że jak się siedzi, to mogą wydawać się większe, bo masa ciała i grawitacja i tak dalej... Ale jeśli Malina marzy niezmiennie o nogach patykach?! Takich jak u modelek? Na nic zda się tłumaczenie, że to w większości pic na wodę, czyli fotomontaż. No, nie poradzisz.

Wytłumaczę teraz, na czym polegają Dni Romronka. Na pewno je znacie, bo dopadają każdego. Nie tylko dzieci. To takie dni, kiedy nie chce się wstać z łóżka, bo po prostu nie. Budzik dzwoni, mama woła, a my nura pod kołdrę. To takie dni, kiedy mimo że jesteśmy zdrowi, nie mamy apetytu. A nastrój ponury. I gdybyśmy go chcieli narysować, to trzeba by wziąć grubą kartkę z bloku technicznego i całą zamalować na czarno. Co najmniej węglem.

Wracając do Malinki. Największym kłopotem są dla niej czochrające się w puch czarne włosy, które wciąż stara się ujarzmić. Co absolutnie jest niemożliwe podczas deszczu! Kręcą się wtedy do nieprzytomności. Jak żyć?! – wzdycha sobie wtedy Malina, i wznosi swoje wielkie zielone oczy ku niebu. Ostatnio od cioci Ani dostała nowiusieńką szczotkę do włosów z włosia najprawdziwszego dzika. Pomaga jednak dokładnie na siedem minut. Nie więcej. Potem fryzura po

szczotce z dzika znów robi się dzika. Na szczęście Malina jest skora do żartów. Ooo, nawet bardzo. Zalicza się zatem do grupy szczęśliwców, którzy mają duże poczucie humoru. I chyba zgodzicie się ze mną, że w miarę ukazywania się kolejnych tytułów książki to poczucie humoru rośnie razem z nią. Choć Malina ma wciąż 143 centymetry i 2 milimetry wzrostu, o czym informuje radośnie kolorowa framuga drzwi do pokoju gościnnego babci Wandziuliny.

W części trzeciej Malina to miód-dziewczyna. Zastanawiacie się teraz na pewno, skąd ten miód w tytule i jak się ma do Maliny... Może nasza bohaterka ma w swoim ogrodzie w Milanówku pasiekę? Albo lubi wylizywać miód ze słoiczków? Nie wytężajcie głów. Malina jest po prostu bardzo fajna. Taka ot – słodka dziewczyna.

Co Wam jeszcze o Malince powiedzieć? W sekrecie Wam zdradzę, że jest trochę nieśmiała. Wciąż coś gubi, może dlatego że ma ogromny problem z utrzymaniem porządku wokół siebie. Szczególnie w plecaku szkolnym. Notorycznie nie zamyka szafy w swoim pokoju, czym doprowadza do białej gorączki swoją mamę Tosię. Myślę, że i tatę Adasia też, ale on większość czasu spędza poza domem, podróżując.

Malina ma ogromną wyobraźnię. Dużo też mówi. Czasami nawet szybciej, niż myśli, co prowadzi do kłopotliwych sytuacji, na przykład zadaje nieoczekiwanie pytanie: Co było pierwsze – jajko czy kura? Albo opowiada wymyślone historyjki podczas obiadu niedzielnego u babci Marzenki. Tak jak to było ostatnim razem, gdy wciągnęła wszystkich w opowieść o tym, jak tata szedł przez las. I znalazł tam podkowę najprawdziwszą. Gdy ją podniósł, odkręcił. Patrzy, a tam

Wszyscy się śmiali, tylko tata Adaś bardzo się zdenerwował, bo wcale nie znalazł żadnej podkowy. A tym bardziej konia po drugiej stronie. Ale już i tak nikt go nie słuchał.

Malina uwielbia tańczyć. Lubi rysować i jeździć konno. Jej najbliższymi przyjaciółkami są Ewa i Gabryśka oraz kuzynki: Zuzia i Zosia. Także mała Helenka. Lubi się nawet z kilkoma chłopcami: Jankiem, Frankiem i Szymkiem. Nie licząc Łukasza Milskiego... Mimo że ma lęk wysokości, wchodzi na wszystkie możliwe drabiny, z których trzeba ją potem zdejmować. Nie nosi zegarka. Ma psa Rudzielca i marzy o własnym koniu rasy fryzyjskiej. I co najważniejsze: Malina jest właścicielką magicznego szmaragdełka, które pozwala jej podróżować w czasie. Odkąd w magiczny sposób wróciło do niej z przeszłości, nie rozstaje się z nim ani przez moment. Nosi je teraz na szyi zawieszone na specjalnej, podarowanej przez prababcię Irenkę, jedwabnej wstążeczce... Resztę sami wydedukujecie, czytając książkę.

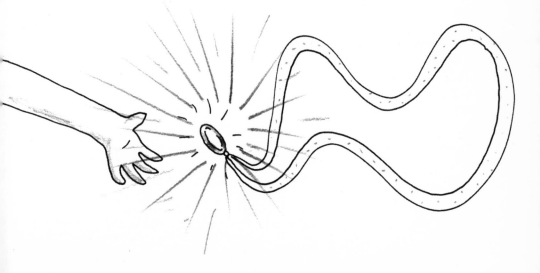

A czytajcie ją uważnie, kolekcjonując ukryte w rozdziałach magiczne litery, które pod koniec trzeciego tomu stworzą hasło: zdanie, które rozśmiesza Malinę... Już je wymyśliłam. I powiem Wam, że rozśmiesza ono nie tylko Malinę. No, zaraz spadnę z krzesła!

Ha, Ha, Ha, Hi, Hi, Hi

Podpowiedzi:
BALET + MISTRZ = BALETMISTRZ
BOK + SER = BOKSER
PAS + I + KONIK = PASIKONIK

o tym, czym się kończą miód-minki
w wykonaniu Malinki,
także o kotach lub kocie i tajemniczym
przedmiocie, dzięki któremu można
dać nauczkę chłopcu niegrzecznemu

Ha, Ha, Ha, Hi, Hi, Hi

— śmiała się serdecznie Malina. Machała przy tym wesoło nogami w górę i w dół, tak jakby ją milion mrówek łaskotało po stopach. A stopy Maliny były, rzecz jasna, bose i niezbyt czyste, bo jak wiecie, Malina nie znosi i nie nosi kapci tudzież innego obuwia domowego. Żeby mieć z głowy wszystkie inne Malinine brudki, powiem Wam jeszcze, że i palce Maliny były czarne jak smoła. A najbardziej dwa kciuki i prawy wskazujacy. Już wam tłumaczę dlaczego. Dziewczynka pochłaniała pestki świeżutkiego, ogromnego słonecznika. Uwielbia je skubać. Jako niezwykle roztrzepana osóbka, mająca bez przerwy problem z utrzymaniem porządku, rozrzuca je wtedy wokół podczas jedzenia. Oczywiście te puste. Zupełnie niespecjalnie. Tworzy to bardzo interesujący łupinkowy krąg. Co oczywiście doprowadza do **białej gorączki** mamę Tosię, która widząc to, załamuje ręce.

– Wytłumacz mi, Malinko, czy to tak trudno razem ze słonecznikiem wziąć od razu miseczkę na łupinki?

Malinka, jak każda 🅵 ajna dziewczynka, robi wtedy do mamy słodką miód-minkę. Jej słodycz niczym magiczny eliksir zmienia każdą nieprzyjemną chwilę w coś miłego. Tak jak teraz. Bo mamie z białej gorączki zostały jedynie białe rączki. Miała je bowiem utytłane w cukrze pudrze, którego używała natenczas do pieczenia owocowej bezy na podwieczorek. Malina natomiast, widząc, że sytuacja jest opanowana, wróciła z lubością do swojego zajęcia. Pakowała do buzi maksymalną liczbę ziaren i z apetytem je chrupała.

Na szybkie rozgryzanie pestek opracowała nawet własną metodę – nagryz siekaczem, czyli górną jedynką. A ząbek jest już spory. Kiedy ostatnio go z mamą Tosią mierzyły linijką, miał 8 milimetrów! Czyli był już takiej wielkości

jak u mamy! Bardzo to Malinę cieszy, bo mama Tosia ma prześliczny uśmiech. Wszyscy go znają. A ostatnio doceniła ten znana firma zagraniczna produkująca pasty do zębów. Nagrała nawet z mamą reklamę telewizyjną. Z tego trzydziestosekundowego filmu dumna jest nie tylko najbliższa rodzina, ale i wszyscy mieszkańcy Milanówka.

Malina, mimo że poranek kompletnie tego nie zapowiadał, ma dziś Dzień Głupawki. A Dzień Głupawki to przeciwieństwo Dnia Romronka, czyli ataku foszków. Siedzi więc teraz, a przynajmniej stara się usiedzieć na dużym drewnianym parapecie w swoim pokoju i zaśmiewa ze wszystkiego. Bo w Dniu Głupawki jest tak, że śmieszy dosłownie wszystko. Na przykład kolorowe pranie rozwieszone między drzewami, gdzie dyndają ogromniaste skarpety. Malina, gdy na nie patrzy, widzi nagle włochate nochale; także luźne majtasy w gołąbki, które w jej wyobraźni zmieniają się w serdelki z płetwami. Wzrok jej przyciągała także śnieżnobiała koszulka z ciekawym i widocznym nawet z daleka nadrukiem. Były tam śnieg, góry i mknący po nich na nartach, na łeb na szyję, pan z wąsami. Obok rysunku można było przeczytać napis niebieski: „Jan SobieSKI".

– Ha, ha! Ski… – ucieszyła się dziewczynka. – Ciut się kuma angielski.

Rozśmieszył ją również sąsiad, pan Mądry, który w czapce z gazety stał na drabinie i bardzo uważnie malował na zielono płot okalający ogród. Widać było, że chciał być bardzo dokładny. Może dlatego że z zawodu malarzem nie jest, ale elektrykiem. Zawsze, kiedy w Ptaszynie gaśnie światło, słychać pukanie do drzwi pana Mądrego. A on w trymiga, czary-mary, coś tam wciska i aż patrzeć na jego pracę jest miło. I po chwili znów wszystko się świeci.

– Ciekawa jestem, czy to pana Mądrego te w se r delki gatki – zachichotała Malina, przenosząc wzrok od prania do drabiny i z powrotem – pasowałyby mu do czapki.

Przede wszystkim rozbawiał ją jednak tata Adaś, który wyszedł pobiegać z Rudzielcem po ogrodzie. Właśnie dziś,

w to słoneczne, wrześniowe, piątkowe popołudnie wymyślił sobie, że nauczy psa aportować. Czyli przynosić rzucony kijek: w dal i z powrotem. Rudzielec jednak ani myśli się słuchać. Zresztą, sami zobaczcie, co tam się dzieje.

– Rudzielec, do mnie. – Tata Adaś stoi na baczność jak na paradzie i trzyma za plecami spory kawał patyka. – Siad. Siad! Siadaj!!!

Gdy pies wreszcie łaskawie przybiegł i usiadł, tata pogłaskał go i zaczął tresurę.

TFU, TFU

Mało elegancko napluł na drewniany kijek, zamachnął się nim i krzyknął: Aport! Patyk poszybował daleko, daleko w krzaki na obrzeża ogrodu. Rudzielec puścił się za nim pędem. Za tym kijkiem. Gdy go znalazł, złapał radośnie w pysk i psim galopem ruszył w stronę taty Maliny.

BAWIMY SIĘ – GALOPOWANIE na DYWANIE

Zanim Rudzielec galopem dobiegnie do pana Adasia, chciałabym zaproponować Wam pierwszą zabawę. Nie wiem, czy wiecie, ale galop to nie tylko chód konia, taki bardzo szybki. To także taniec towarzyski. Również bardzo szybki. Dawno temu tym właśnie tańcem kończono wszystkie uroczyste bale. Prawdopodobnie dlatego że potem i tak nikt nie miał siły tańczyć dalej. Raczej chciał leżeć na podłodze, parkiecie, trawie, podeście czy co tam wtedy na tych balach mieli.

Poproście teraz kogoś z dorosłych, by znalazł w swojej biblioteczce muzycznej lub w Internecie utwór muzyczny, który nazywa się *Galop* i pochodzi z suity *Komedianci* Dymitra Kabalewskiego. To bardzo wesoły utwór, napisany przez poważnego rosyjskiego kompozytora. Wy natomiast weźcie swoje ulubione krzesełko i postawcie je na środku pokoju. Gotowe? Zatem tadam! Usiądźcie na krzesełkach tak, by oparcie było przed Waszym noskiem, tak jakbyście siedzieli na koniu. Gdy usłyszycie muzykę, wyobraźcie sobie, że dosiadacie wspaniałego rumaka i pędzicie przez wielką łąkę. Potem starajcie się odnaleźć moment w muzyce, by wierzchowca zatrzymać. „Prr". Wtedy puśćcie lejce i pięknie zatańczcie rękami. Możecie nawet grać na trąbce, jeśli ją usłyszycie. A potem znów patataj, patataj! Co się Wam zamarzy!

Fajnie by było to nagrać, bo zabawa jest naprawdę świetna. A może ktoś z dorosłych się dołączy? Można by wtedy pościgać się i zrobić prawdziwy Dzień Głupawki.

Po dwóch minutach galopu, bo mniej więcej tyle trwa utwór, spadamy z krzesełek i leżymy na dywanie jak śledzie ☺

Zabawę możecie powtarzać tyle razy, na ile tylko sił Wam i krzesełku starczy. Potem koniecznie napijcie się wody. Dla ochłody.

My tu hoppa, hoppa, a tymczasem Rudzielec psim galopem zbliżał się już do taty Adasia. Ten wyciągnął rękę, by jak w sztafecie przechwycić patyk, gdy pies nieoczekiwanie przyspieszył, wykonał dziwne salto w powietrzu i chytrze minął łukiem swojego pana. Łypnął jeszcze przy tym tak szelmowsko okiem, że tacie Maliny znikł uśmiech z twarzy.

– Rudzielec, daj patyk – rozgniewał się na dobre – niedobry pies. Gapa! Ble! Fu! Chodź tu!

Czworonóg ani jednak myślał przychodzić i patyk oddawać. I jeszcze po nazwaniu go gapą! Poza tym, przecież fajniej jest pobawić się z panem w berka, prawda? I tak ganiać się po ogrodzie zaczęli. Pies w prawo, pies w lewo, tata pod drzewo... No cyrk. Gdy tylko zmęczony bieganiną Rudzielec położył się wreszcie na trawie, tylne łapy rozklapciał jak żaba i skubać kijek zębiskami zaczął, tata Adaś niby to podziwiając

niebo, do psa ukradkiem się zbliżył. I już się nawet po patyk schylał... Lecz pies znów dał nogę! Nie, nie. Wcale nie podał tacie Maliny łapy. Co to to nie! On po prostu dał nogę, czyli czmychnął. Dał drapaka. Zwyczajnie uciekł. Zwiał. Gwałtownie się poderwał i pognał. A tata Adaś za nim! To dopiero było widowisko. Buszowali w tych krzakach, aż się kurzyło. Trwało to naprawdę dobrą chwilę, zanim tata Maliny kawałek drewna z pyska psu wyrwał. A raczej wyszarpał.

Postanowił się jednak nie poddawać i do oporu psa tresować.

– Rudzielec. Chodź tu – sapał tata cały czerwony. Kolor twarzy nie zmienił mu się jednak z powodu wysiłku włożonego w wyciągnięcie psu z pyska kija. Raczej z powodu pana Mądrego, który oderwał się od pacykowania płotu i obserwował tę całą bieganinę z drabiny. I żeby tylko obserwował. Ale on się cały chwiał. Tak się z taty śmiał, że ledwo na drewnianej drabinie stał.

– Ale strusie jaja! – krztusił się ze śmiechu. – Panie Adamie, może bumerang zamiast tego kija, co? Przynajmniej sam wróci. I jeszcze psa przyprowadzi. Ha, ha, hi!

– Dziękuję, ale nie skorzystam – uprzejmie odpowiedział tata Maliny. – A panu, panie Mądry, to chyba z tym malowaniem do Wielkanocy się zejdzie, co? To może od razu jajek przyniosę i pod pędzel podłożę. Takie zielone wyjdą. Będą do koszyczka jak znalazł.

43

Z jakiegoś powodu obruszył się pan Mądry i ze zdwojoną prędkością zaczął płot włochatym pędzlem dalej na zielono smarować. Jakby go ktoś do prądu podłączył albo nową baterię zainstalował.

– Zlituj się – tata Adaś przyciszonym głosem kontynuował rozmowę z psem. – Dostaniesz kosteczkę. Patrz, to jest patyk. Tfu, tfu. Ja rzucam, ty szukasz, znajdujesz i przynosisz. Zrozumiano?

Rudzielec wielce zadowolony z zabawy wywiesił swój różowy język. Na znak zrozumienia mlasnął nim dwa razy. Tata Adaś ponownie zamachnął się i rzucił kijek. Tym razem naprawdę daleko.

Pies zerwał się i pognał przed siebie, ile sił w łapach. Miało się wrażenie, że biegnie tak, jakby był najszybszym zwierzęciem świata, bijącym rekord na jakiejś olimpiadzie. Choć Rudzielec gepardem nie jest, jak wiecie. A ten to potrafi się rozpędzić. Ho, ho! Do 100 kilometrów na godzinę w ciągu nawet trzech sekund. Chyba tylko najnowsze i najszybsze auto w historii motoryzacji mogłoby się z nim równać. Ten samochód bugatti chiron się nazywa. Przyspiesza w dwie i pół sekundy! Zatem Rudzielec tak naprawdę nie miałby takiej możliwości... Hm...

Pomyślałam sobie właśnie, że chcąc dać szansę na wygraną Rudzielcowi, trzeba by zrobić tak: zakumplować psa

z gepardem. Potem wsadzić zwierzaki do bugatti, by po prostu pojechały razem. Tym sposobem wszyscy uczestnicy wyścigu w tym samym czasie dotarliby do wyznaczonej – lub nie – mety. I każdy by wygrał. Ha! Widzicie, jak się chce, to wszystko można. Choć na pierwszy rzut oka wydawałoby się to niemożliwe.

Ale w Milanówku nie ma na razie ani gepardów, ani Bugatti, więc Rudzielec biegł najszybciej, jak potrafił. Po chwili zrównał się już z lecącym jak strzała indiańska patykiem. I już miał go schwycić, gdy ten w nieoczekiwany sposób zmienił kierunek. Obrócił się, na ułamek sekundy zawisł w powietrzu i z impetem rąbnął w drewnianą drabinę, na której i tak ledwo stał pan sąsiad Mądry. Który zresztą w tym momencie kompletnie zgłupiał.

PSIA CHOLEWKA!!!

Wypowiedział się siarczyście, choć rąbnięcie akurat z psem nic wspólnego nie miało. A tym bardziej jakąś chol e wką. By utrzymać nadludzkim wysiłkiem równowagę, tak by nie

45

spaść z hukiem, wypuścił z ręki pędzel i oparł się całym ciałem o świeżo pomalowany płot ogrodu. W związku z tym jego biały T-shirt zrobił się cały w zielone paski. I to w dodatku ułożone poziomo. Bo jak pisałam, pan Mądry oparł się LEDWO. Zawisł bowiem bokiem, trzymając drabinę krokiem. Na ten widok niekontrolowanego ataku śmiechu dostał tata Adaś. Natychmiast przyszło mu też do głowy, że koniecznie musi teraz od sąsiada elektryka tę koszulkę odkupić. Jest bowiem fanem drużyny piłkarskiej Celtic Glasgow, a gadżety tego zespołu są bardzo trudne do zdobycia. A tu gotowy T-shirt – jak znalazł!

To jednak nie był koniec zamieszania. Zielona farba w puszce spadła z brzdękiem na pobliski chodnik, rozpryskując się na prawo i lewo. A nawet lekko ku górze. Wprost na drzewo. Obryzgała więc kolorowe pranie, które może dlatego że było już suche jak pieprz i sztywne, wyraźnie pozieleniało. Nie wyłączając twarzy wąsatego narciarza na koszulce, który mknął teraz nie po białym, ale po zielonym śniegu.

Najśmieszniejsza rzecz przytrafiła się jednak Rudzielcowi, który hamując tylnymi łapami, przeturlał się do przodu i w locie chwycił spadający patyk. W tym momencie pociemniało mu w orzechowych ślepiach, bo wielki zielony pędzel spadł mu centralnie na głowę. I to tak zabawnie, że wkleił się idealnie między uszy. Rudzielec wyglądał więc jak pies w angorowym berecie z drewnianą antenką. Albo snopek. Ale przynajmniej z patykiem w pysku, który grzecznie i ze skruchą tacie Maliny odniósł. Na węch. Bo przez pędzel na głowie dobrego pola widzenia nie miał.

Ha, Ha, Ha

Malina, patrząc na scenę z okna, aż czkawki ze śmiechu dostała. Jak pamiętacie, zawsze ją łapie w chwilach wielkiej wesołości. Widząc, jak tata ruszył na pomoc i bezskutecznie starał się odlepić pana Mądrego od płotu, zeskoczyła z parapetu – prosto w kupę słonecznikowych łupinek, które rozrzuciła po pokoju jeszcze bardziej. Nie przejęła się tym jednak zbytnio. Zagarnęła je szybko bosą czarną stopą pod szafę. Na chwilkę, oczywiście.

– Mamooooooo! – krzyknęła tak głośno, że obrazek cioci Misi zadrżał na ścianie. I nie tylko on.

– O mamusiu jedyna! – mama Tosia też się przestraszyła. Aż wypuściła sztućce, które chowała właśnie do szuflady. – Dziecko, czemu się tak drzesz?

– Przypadek – potulnie odpowiedziała Malina. – Mamo, co ci teraz spadło? Łyżka, nóż czy widelec?

– Wszystko Malinko – westchnęła mama – normalnie wszystko.

– Ha! To czekamy na gości. Przyjdą na pewno głodni. Pani Marcelina Piorun-Hyży powiedziała nam kiedyś na informatyce, że jak spadnie łyżka, to trzeba oczekiwać kobiety z pustym brzuchem. Jak widelec – mężczyzny. Nie, zapamiętałam tylko, jak to jest z nożem...

– Babcia Marzenka uważa, że to znak zbliżającej się awantury. O czym wy rozmawiacie na tej informatyce?!

– O życiu, mamo. O życiu – jak najpoważniej poinformowała mamę córka. – Biegnę teraz na dół do ogrodu, bo pan Mądry wisi na płocie i trzeba go odkleić.

– Słuuucham? – zachłysnęła się z wrażenia mama Tosia i jakoś mimo woli spojrzała na stary zegar, który uroczo tykał w przedpokoju. – Przecież nawet jeszcze nie ma szóstej! A pan Mądry już na płocie... Nic tylko normalnie fiksum-dyrdum. A gdzie twoje buty???!

Malinie tak było jednak spieszno do ogrodu, że nie dość, że butów nie założyła, to wyjątkowo nie dociekała, jaki związek ma godzina szósta z panem Mądrym przyklejonym do płotu i jakimś „merdającym fisiem".

CZY WIECIE...

Ciekawa jestem, czy widzieliście kiedyś kogoś z taką pokazywanką, że machał rękami dokoła głowy, jakby oganiał się od natrętnej muchy, i znacząco przy tym mrugał okiem? Albo tak śmiesznie pokazywał na migi, że ktoś ma bzika? Takie kuku na muniu? Na pewno! Ale często jest się zmęczonym i nie chce się tak machać, prawda? Wystarczy wtedy powiedzieć fiksum-dyrdum! I załatwione.

FIKSUM-DYRDUM

KOTUM 🐱 🐱 🐱 POKOTUM

Powiem Wam, że bardzo mnie śmieszy to określenie. Oznacza po prostu kogoś, kto jest zwariowany na jakimś punkcie. Ma hopla. Albo kota. Ha! Przypomniało mi się przy okazji. Moja koleżanka Lenka ma właśnie absolutnego fioła na punkcie sierściuchów. Tak jak ciocia Maliny, Ania, na punkcie wszystkich zwierzątek, które są słodkimi «noniami». Nawet karaluszki i krokodylcie. Słodziaki, prawda? Ale wracając do Lenki i kotów – najchętniej miałaby ich w domu co najmniej tysiąc. Najróżniejszych. Małych, dużych, puszystych, egipskich bezwłosych. Zgodzicie się więc ze mną, że Lenka ma fiksum-dyrdum? Lepiej chyba tak powiedzieć, niż że ma kota. Bo po pierwsze, Lenka jeszcze kota nie ma, nie mówiąc o tysiącu, a po drugie, jak powiemy, że ma kota, to z tymi kotami jakoś się nie klei. I tu wracamy do pana Mądrego, którego wciąż usilnie tata Adaś stara się od płotu odkleić.

Tata Adaś błyskawicznie jednak znalazł sposób, by sąsiada z kryzysowej sytuacji wybawić. I to nie uszkadzając ani pana Mądrego, ani perfekcyjnych zielonych pasków na jego koszulce, na którą miał chrapkę, jak wiecie. Podciągnął więc pod płot drabinę i pokaźnych rozmiarów trampolinę. Stała niedaleko, tuż przy piaskownicy.

– Panie Mądry, pan się teraz puści! – krzyknął w górę drabiny.

– No co pan – wyjąkał przestraszony sąsiad.

– Przecież spadnę. Poza tym nie pali się. Tak będę wisiał. Nawet mi wygodnie.

– Pan przestanie – uśmiechnął się tata Adaś – zaraz pękną panu spodnie.

W tym momencie pod trampoliną zjawiła się Malina.

– Malinka! – ucieszył się tata – ale hola, hola, gdzie masz buty?

– W domu – odpowiedziała zdziwiona dziewczynka. Rodzice powariowali z tymi butami – dopowiedziała już sobie w głowie.

Bo przecież kto przy zdrowych zmysłach myślałby w takiej sytuacji o butach, prawda? Chyba że mama Tosia. Oj, tak. Mama Maliny miałaby na ten temat na pewno inne zdanie. Zawsze przecież powtarza:

– Buty, szczególnie te nowo zakupione, to najlepsze lekarstwo dla kobiety.

– A na zdrowiu nie ma przecież co oszczędzać, prawda, kochanie? – dopowiada wtedy tata Adaś.

Mama uroczo się wówczas śmieje, cmoka tatę w policzek i czym prędzej biegnie zaprezentować mężowi i córce swój, jak się okazuje, najnowszy butowy zakup.

– No sami zobaczcie. Przecież normalnie niepoważna bym była, gdybym ich nie wzięła, jak prawie za darmo dawali...

I tak do następnego razu. Mama Tosia tak ma. Widzi buty i... fiksum-dyrdum!

– Tatko! – zawołała wesoło Malina, patrząc, jak tata mocuje się z lewą nogą pana Mądrego, przekładając ją przez wąski szczebel drabiny – może jakoś pomogę? Ja wiem, że nie mogę się zbliżać do drabiny, bo potem też z niej nie zejdę. Ale patrzyłam przez okno i pomyślałam sobie, że nie powinnam być samolubem, takim niepomagaczem, nie jestem, jak wiesz, taka...

– Wszystko dobrze, Malinko – przerwał córce tata. – Ale na bosaka? Załóż coś, proszę, na te czarne stopki.

– A mogę tak na szybko te ogromniaste skarpety ze sznurka?

– Z jakiego sznurka?

– Te z naszego ogrodu, z po-dwórka – wymyśliła w lot Malina. Bo bardzo, ale to bardzo nie chciało jej się z powrotem do domu na drugie piętro po buty wracać.

– A zakładaj – machnął ręką zrezygnowany tata Adaś, który tak naprawdę głowił się teraz,

jakby tu sąsiada na ziemię bezpiecznie z drabiny sprowadzić. Zapowiadało się to na misję trudniejszą niż ta ze sprowadzeniem z kosmosu amerykańskiego statku kosmicznego **A**pollo 13. I to wraz z załogą.

– Malinko. Tylko czy to jest aby higieniczne? – zaniepokoił się tata Adaś, patrząc na skarpety. Nie dość, że nie były ich własnością, to jeszcze wisiały naprawdę wysoko. – I jak je zamierzasz zdjąć?

– Założyć je, tatko, zamierzam. Założyć – parsknęła śmiechem Malina. – Podskoczę po prostu na trampolinie i je ściągnę. A po drodze może jeszcze o pana Mądrego zahaczę.

– Mnie proszę nie dotykać – przeraził się na dobre milczący do tej pory sąsiad – ani zahaczać, ani ciągnąć. Przyjdzie czas, sam zejdę.

– Panie Mądry, proszę się nie wygłupiać – przekonywał tata Adaś – daj pan sobie pomóc. Mam po straż pożarną dzwonić?

– Wypraszam sobie – zdenerwował się unieruchomiony między płotem a drabiną sąsiad – co to ja kot na drzewie jestem, żeby mnie straż zdejmowała?

Malina z uwagą przysłuchiwała się rozmowie. I nagle ją olśniło.

TADAM!

Nachyliła się do ucha taty i coś mu szybko wytłumaczyła. Tata tylko przyklasnął i ucałował córeczkę w dwa piegowate policzki. Potem zrobił niezwykle tajemniczą minę, która bardzo się zawsze Malinie podobała.

– Panie Mądry – powiedział po chwili zastanowienia tata Adaś – to niech pan tam sobie opiera się o ten płot, jak tam panu tak wygodnie. Ja jeszcze psa potrenuję, Malinka mi pomoże... Prawda, Malinko? Wie pan, że wczoraj taka sytuacja była. Pracowałem w domu, parę rzeczy naprawić po męsku trzeba było. Wziąłem młotek i „puk, puk". Żona za drzwiami siedzi i pyta: „Kto tam?". To się roześmiałem i do pracy wróciłem i znów „puk, puk". „Kto tam?" Moja żona jeszcze bardziej zdziwiona dociekała. Ja się też zdziwiłem, ale dalej wbijam „puk, puk". „No kto tam?!", żona do drzwi aż podeszła. Wtedy zrozumiałem i powiedziałem: „Kochanie, jak nie przestaniesz pytać, to nigdy tego gwoździa w taboret nie wbiję".

I tata, i Malina zaczęli się strasznie śmiać. Pan Mądry jednak ani drgnął.

– Rozumie pan? – tata się nie poddawał. – Żona myślała, że to ktoś puka do drzwi. I chciała otworzyć. Gdy tymczasem ja po prostu w taboret. Tym młotkiem...

Pan Mądry jednak dalej nie reagował. Lekko zmartwiony tata rozejrzał się po ogrodzie, szukając ratunku. Krzaki, piaskownica, drzewa...

– Ha, a wie pan, jak się nazywają takie same drzewa? – zaczepił od tej strony sąsiada.

– A co to ja dzięcioł jestem? Nie wiem.

– Klony! – z satysfakcją krzyknął tata.

Ale nawet i ten żart nie wzruszył sąsiada. Malina powoli traciła nadzieję, że jej plan się powiedzie. Bo może pan Mądry, mimo że jest bardzo zdolnym elektrykiem, całkiem

sympatycznym nawet, to widać nie ma za grosz poczucia humoru. Ha! Elektrykiem!

– Proszę pana – Malina podeszła tuż pod drabinę – a wie pan, na czym prąd stoi?

Pan Mądry z zainteresowaniem spojrzał na dziewczynkę z góry i zastanowił się. Nie umiał jednak odpowiedzieć na pytanie.

– Na pięcie!!!

– Napięcie! – zakrzyknął pan Mądry i zaczął się nagle tak trząść, jakby się naprawdę z tym napięciem spotkał. I wybuchnął! Śmiał się naprawdę całym sobą. To z kolei sprawiło, że oderwał się od płotu, puścił drabinę i lekko poszybował w dół. Prosto na trampolinę. Gdy tylko na nią spadł, odbił się brzuchem, zostawiając tamże ślad zielonych pasków z koszulki. Potem znów poleciał do góry, podczas lotu zdjął wiszące skarpetki ze sznurka, pomachał sąsiadce kwiaciarce, która również odmachała mu z okna, następnie znów opadł na trampolinę. Tym razem na plecy. W tym momencie idealnie odbił zielone paski z tyłu koszulki.

...HOPA AAA...

– Do góry, do góry – śmiał się w podskokach – skaczemy jak kangury!

W końcu udało mu się w obrocie wybić na pięty, zatrzymać i zgrabnie zeskoczyć na ziemię. Malina z tatą Adasiem byli zachwyceni. Nawet pani sąsiadka kwiaciarka gwizdnęła z zachwytu i bić brawo z okna zaczęła.

– Nic takiego – zaczerwienił się pan Mądry – w szkole trenowałem akrobatykę. Trochę jednak już czasu od tego minęło – odetchnął i otarł pot z czoła.

– To było coś – pogratulował sąsiadowi tata Adaś – ale na dziś to chyba skończymy z tym malowaniem. Zapraszam do nas na podwieczorek. Żona bezę zrobiła. Owocową!

– Moja ulubiona – ucieszył się pan Mądry. – Zaproszenie przyjęte. Tylko się przebiorę.

– Nie ma potrzeby. Poza tym jestem szczerze zainteresowany odkupieniem pana koszulki. Jak pan wie, jestem fanem piłki nożnej i drużyny Celtic Glasgow.

– Ma pan ją ode mnie gratis. Tylko może by ją przeprać...

I tak miło gawędząc, ruszyli w kierunku domu. Malina wskoczyła tacie na barana i pomyślała, że miło było pomóc zdjąć pana Mądrego z płotu.

MALOWANIE PŁOTU

Coś mi się zdaje, a i Wam chyba też, że pan Mądry tego płotu do końca nie pomaluje. Dokończmy zatem kolorowanie za niego. Weźcie zieloną kredkę lub flamaster... Ach, no i jest problem. Przecież zielona farba się wylała na chodnik... Zrobimy więc tak. Pomalujcie jeden kawałek płotu na zielono, ten od Waszej lewej strony, bo od tej pan Mądry zaczął malowanie. Środek zostawmy biały i w tym czasie poszukajmy czerwonej kredki, bo taki jeszcze kolor

farby ma pan Mądry w domu. I pomalujcie ostatni kawałek płotu. Bardzo dokładnie, nie wychodząc za linię.
Bo gdybyśmy wyszli, to tak jakbyśmy nachlapali na
trawę dokoła. I jak? Podoba Wam się teraz płot w ogrodzie Maliny? Bardzo ciekawe zestawienie kolorystyczne
wyszło. Przy okazji zadam Wam zagadkę: Jakie państwo
w Europie ma flagę w takich kolorach? Zielonym, białym
i czerwonym, w paski ułożone pionowo. Czyli jak słupki,
które stoją, nie leżą. Podpowiem Wam, że ten kraj ma
na mapie kształt buta. Takiego modnego damskiego ko-
zaczka ☺

Tak naprawdę nic nie zapowiadało, że dzień będzie tak przyjemny i przemieni się w najprawdziwszy Dzień Głupawki. Z bezą owocową na podwieczorek. I jeszcze tak wspaniały gość dziś miał Malinę odwiedzić. Z nocowanką! Ale o tym za chwilę... Często tak jest, więc nie przejmujcie się, jeśli rano nie chce Wam się wstać, bo leje albo jeszcze jest ciemno za oknem, albo spóźnicie się na pierwszą lekcję do szkoły. I to na tę, którą na przykład prowadzi dyrektorka szkoły. Tak sroga jak Marcelina Piorun-Hyży. A to dziś rano przytrafiło się Malinie.

Początek roku szkolnego nie jest łatwy. Sami wiecie. Znów trzeba się przyzwyczaić do poran n ego wstawania. I nie ma już wciągania pępka, czyli leniuchowania, ile wlezie pod kołdrą. Malina wybróbowała dzisiaj to, „ile wlezie". Kiedy zadzwonił budzik, palcem dużej stopy zgrabnie go wyłączyła. W drzwiach pojawił się jednak inny budzik. A raczej pani Budzik, czyli mama Tosia, której to już wyłączyć stopą nie można było.

– Malinko, siódma piętnaście. Wstawaj, proszę.

– Sekundeńkę jeszcze – ziewnęła dziewczynka – już nie śpię. – I kiedy mama wyszła z pokoju, odwróciła się na drugi bok. I smacznie zasnęła na dobre!

Kiedy po dziesięciu minutach mama znów pojawiła się w drzwiach pokoju Maliny, nie dość, że nie zobaczyła ubranej już córki, to jeszcze przestraszyła się chrapiącego pod ciepłą kołderką stworka. W osobie Maliny.

– Malinaaa! Ja zwariuję. Ty śpisz! – załamała ręce – a szkoła nie poczeka! Tym bardziej dzisiaj...

I tu mama zrobiła tajemniczą minę, której na szczęście Malina nie widziała, bo nie zdążyła jeszcze oczu otworzyć. Mama tymczasem zrobiła w swej wypowiedzi krótką pauzę i powiedziała:

– Dziś jest piątek. I pierwsza godzina to przyroda, którą masz WYJĄTKOWO z panią dyrektor, która dzisiaj ma zastępstwo...

– Z panią Marceliną Piorun-Hyży!?? – Malina wyskoczyła z łóżka jak z procy. – Zapomniałam!!!

I pognała myć zęby do łazienki. Dobrze, że przynajmniej poprzedniego dnia mama Tosia przypilnowała, by naszykowała sobie ubranie i spakowała plecak, bo inaczej byłaby totalna katastrofa.

Śniadanie jadła już po drodze. W samochodzie. Mama Tosia, by ratować sytuację, wyprowadziła auto z garażu, by podwieźć swoją jedynaczkę „czarną strzałą", czyli turbo garbusem, do szkoły. Niestety, gdy dotarły pod szkołę, było już po dzwonku.

– Powodzenia! – krzyknęła za córką mama, ledwo łapiąc oddech, choć to nie ona jechała szybko, ale samochód.

– Ślepa Gienia – mało grzecznie burknęła pod nosem Malina. Ale zaraz ugryzła się w język, bo pani woźna Gienia jest bardzo miła. Zawsze wszystkim pomaga. Potrafi nawet zadzwonić minutę wcześniej dzwonkiem, by jakieś odpytywanie na lekcji skończyło się prędzej. Poza tym wcale nie jest ślepa. Wręcz przeciwnie. Ma taki wzrok, że jak chłopcy po drugiej stronie boiska starają się wykopać dół, w sumie nie wiadomo, po co, to natychmiast ich wypatrzy. ⬛ zabawę przerywa.

Starając się opanować czkawkę, która złapała ją podczas szybkiego jedzenia, Malina dłuższą chwilę postała przed klasą, zanim odważyła się wejść.

– Raz kozie śmierć – szepnęła i nacisnęła klamkę.

– Malina! – przywitała ją z chytrym uśmiechem pani dyrektor. – Jaka to odwaga spóźniać się na moją lekcję...

Tu wzrok pani dyrektor powędrował w kierunku stóp dziewczynki.

– Ha! – klasnęła w dłonie pani Marcelina Piorun-Hyży, jakby jej ktoś niespodziankę zrobił – i w butach do szkoły! Początek roku, a ty znów w butach!

Malina, jak zresztą cała klasa, trochę się zdziwiła. Przecież to normalne, że w butach. Szkoła to nie plaża przecież, pomyślała Malina. Postanowiła jednak z panią dyrektor nie wchodzić w dyskusję.

– Mam nadzieję, Malina, że to był ostatni raz – pogroziła palcem pani Marcelina – siadaj dziś w pierwszej ławce, tak, tu. Taka fajna klasa. Niby tak was nauczyciele chwalą. Ja też już w pierwszej klasie polubiłam was od pierwszego wejrzenia – spojrzała groźnie na Janka, który jakby nigdy nic dłubał w nosie. – Ale chyba muszę iść do okulisty. Janek, czego ty tam szukasz?

– Ja? – ocknął się Janek. – Niczego. Tak po prostu mam.

– Zaczyna się – zmarszczyła czoło pani dyrektor – po lekcji z wami muszę natychmiast udać się na reanimację.

– Albo do SPA – padło z ostatnich ławek.

– Albo do SPA – potwierdziła pani dyrektor.

Malina tymczasem usiadła w pierwszej **ł**awce obok dziewczynki, którą widziała pierwszy raz na oczy. Na pewno nie była z innej klasy, bo musiałyby się minąć na korytarzu podczas przerwy. To oznaczało tylko jedno. Dziewczynka jest nową uczennicą szkoły podstawowej w Milanówku.

– Piękny przykład dajecie nowej koleżance – powiedziała pani dyrektor, jakby usłyszała myśli Maliny. – Chciałabym wam ją przedstawić. Naniko, podejdź do mnie, proszę.

Dziewczynka podniosła się z krzesła i stanęła obok pani Marceliny Piorun-Hyży. Teraz można było ją sobie dokładnie obejrzeć. Była prześliczna. Miała czarne błyszczące oczy, buzię jasną jak porcelana. Bardzo ciemne włosy, zaplecione w cztery warkocze, spływały jej aż do pasa, takie były długie. Dwa opadały z przodu i dwa na plecy. Nie miała jeszcze granatowego mundurka z tarczą szkoły. **S**tała ze spuszczonymi oczami, widać nie czuła się dobrze w sytuacji, kiedy każdy ją sobie oglądał jak jakiś obrazek w muzeum. Choć na pewno pięknie by na nim wyglądała.

– To jest Naniko – uroczyście obwieściła pani dyrektor. – Przyjechała do nas z daleka. Z kraju położonego w górach Kaukazu...

– A gdzie to jest? – bardzo odważnie wszedł pani dyrektor w słowo Patryk.

– Ty się, Patryk, doigrasz – spiorunowała go wzrokiem pani Marcelina Piorun-Hyży, czego Patryk mógł się w końcu spodziewać, znając pani dyrektor nazwisko. – I lepiej, abyś się nie przyznawał, że nie wiesz. Naniko dołączy do waszej klasy. Proszę ją pięknie przyjąć i zaopiekować się nią, dopó-

ki nie pozna wszystkich zwyczajów naszej szkoły, która, jak wiecie, ma wspaniałe tradycje i w rankingu wojewódzkim... Ach. No dobrze. Wróć na miejsce, dziecko – zwróciła się do nowej dziewczynki, która polecenie ochoczo wykonała.

Malina uśmiechnęła się do nowej koleżanki. Ta odwzajemniła uśmiech i wyciągnęła pod ławką rękę na przywitanie.

– Cześć – wyszeptała. – Naniko jestem.

– Cześć. Wiem. A ja mam na imię Malina.

– Też wiem – roześmiała się po cichutku dziewczynka – pani dyrektor cię przecież przedstawiła.

– Dziewczynki, porozmawiacie na przerwie. Która zresztą za chwilę, tak ten czas leci – złapała się za głowę pani dyrektor na zastępstwie. – Jaką to ja mam mieć dziś z wami lekcję?!

– Przyrodę – westchnął głośno zrezygnowany Janek. – Niestety... – dodał pod nosem.

– No tak. Przyrodę. To może, bo nie za ciepło na dworze, rozgrzejemy się kartkówką? – zaproponowała pani Marcelina z uśmiechem.

– Nieeeee! – przeraziła się jednocześnie cała klasa. No może bez Naniko, bo ta jeszcze nie wiedziała, co to jest kartkówka.

– Żartowałam, ancymony – cmoknęła z zachwytu nad własnym dowcipem pani dyrektor – ale przyniosłam wam taki test z przyrody dla piątych klas. To zadania dotyczące olimpiady. Potrenujemy sobie. Patryk, zapraszam do siebie, taki dziś wyrywny byłeś.

– Ja?

– A kto? Jest jeszcze jeden Patryk w klasie?

– Nie, tylko jeden. Ja.

– Zatem, chodź tu.

Patryk wstał. Tylko najwolniej w świecie. ▌ podszedł do tablicy, jakby ciągnął za sobą dwa worki ziemniaków.

– Nie wiedziałeś, gdzie są góry Kaukazu, to może wiesz, gdzie leży Gdańsk? – zagadnęła pani dyrektor, przewiercając znad okularów Patryka na wskroś swoim groźnym wzrokiem.

– W Polsce? – niepewnie, choć z szerokim uśmiechem, zaczął uczeń, który jak widać, do orłów w klasie nie należał. Za to do wygłupów był pierwszy.

Pani dyrektor udała, że nie słyszy, i zadała pierwsze pytanie:

– Posłuchaj. Gdańsk jest miastem turystycznym polskiego wybrzeża. Zgadza się?

– Skoro pani tak mówi... – palnął Patryk.

– To nie jest śmieszne. I przestań się już tak szczerzyć. Zatem, jeśli Gdańsk jest położony na polskim wybrzeżu, to które z podanych par miast również?

– Jakich par? – naprawdę zdziwił się chłopiec.

Pani Marcelina Piorun-Hyży okulary z nosa zdjęła.

– Par miast, których jeszcze nie przeczytałam! A są to:

Odpowiedź A: Mikołajki i Frombork,

Odpowiedź B: Karpacz i Kraków,

Odpowiedź C: Kołobrzeg i Świnoujście,

Odpowiedź D: Zamość i Malbork.

W klasie zaległa cisza.

– No, kto wie – zwróciła się do reszty uczniów – ręka w górę, nogi też mile widziane.

– To jest odpowiedź C – powiedziała z końca sali **E**wa. – Tak myślę.

– I dobrze myślisz – pochwaliła ją pani dyrektor. – Dobrze widać znasz mapę.

– No bez przesady, pani dyrektor – wzruszyła ramionami Ewa, która zawsze się obawia, by nikt nie nazwał jej kujonem. Choć naprawdę jest chodzącą encyklopedią. – Po prostu byłam podczas tych wakacji nad morzem. Właśnie w Kołobrzegu. – I puściła oko do Maliny.

– Siadaj, Ewo – pani Marcelina Piorun-Hyży powoli traciła cierpliwość – i ty też siadaj, Patryku. Kolejne pytanie. Co to jest syzyfowa praca?

W klasie znów zapadła cisza. Trwała i trwała. Gdy nagle odezwał się Janek, który odkąd został bohaterem w miasteczku, jest bardziej pewny siebie.

– Bardzo przepraszam, ale pani powiedziała, że to test z przyrody.

– Bo jest z przyrody, chłopcze – pani Piorun-Hyży pomachała klasie kartką z testem z wielkim czerwonym napisem TEST – PRZY R ODA – V KLASA.

– To w takim razie, jaki związek z przyrodą ma ta praca syfyzowa...

– Syzyfowa – poprawiła grzecznie Hania z drugiej ławki pod ścianą. – Od Syzyfa, króla znanego z mitologii greckiej, władał miastem Efyra. Problemem jego było to, że miał długi język. W sensie za dużo mówił i nie trzymał go za zębami. I jeszcze ta ambrozja... I Zeus się zdenerwował...

– Haniu – ucięła pani dyrektor – bo i ja się zaraz zdenerwuję. Odpowiedzi są cztery. Praca syzyfowa to: A – praca przyjemna i łatwa, B – atrakcyjna i dobrze płatna, C – ciężka i skazana na niepowodzenie, D – żadna odpowiedź nie jest prawidłowa... Wymyślicie coś? – Ewa?

– Mam pewien pomysł, pani dyrektor. Pani od muzyki zawsze na lekcji lamentuje, że praca z nami nie jest łatwa, że słoń nam nadepnął na ucho i tak dalej, i że ona jak Syzyf się musi umęczyć. Ale po co?! Poza tym, wiadomo, jej praca nie jest ani atrakcyjna, ani dobrze płatna, podsumowując: raczej skazana na niepowodzenie. Zatem odpowiedź prawidłowa według mnie to C. Ja tylko, pani dyrektor, chciałabym powtórzyć pytanie Janka. Co to ma wspólnego z przyrodą?

– Ktoś ma jakieś pomysły? – skierowała pytanie do klasy pani Marcelina Piorun-Hyży, wycierając pot z czoła. Choć w klasie wcale gorąco nie było.

W tym momencie Naniko nieśmiało podniosła rękę do góry.

– Może dlatego, że ten kawał kamienia, czyli głaz, Syzyf musi wtoczyć na wierzchołek góry? Czyli dzieje się to w przyrodzie?

– Dziękuję ci, Naniko – pani dyrektor wyraźnie poczuła ulgę. – Janek?

– Jestem usatfaksjowany – radośnie odpowiedział chłopiec.

– Usatysfakcjonowany.

– A co ja powiedziałem?

– Przejdźmy jeszcze do jednego pytania i chyba ostatniego dziś, bo zaraz zabrzmi dzwonek – westchnęła pani dyrektor. – Napiszę wam teraz na tablicy szyfr. Jaka litera kryje się pod nutką, jeśli zaszyfrowana jest tu nazwa przyrządu do mierzenia ciśnienia? A wiadomo, że chodzi o BAROMETR, zatem pod nutką schowało się R... Teraz to pięknie narysujemy...

I tu klasa zaczęła chichotać. Oczywiście cichutko, żeby pani dyrektor, po pierwsze, nie psuć zabawy w odgadywanie szyfru, a po drugie, jej nie spłoszyć.

W tym momencie rozległ się dzwonek i dopiero wtedy wszystkie dzieciaki jak na komendę poderwały się z krzeseł.

– Idźcie, idźcie, dzikie dzieci – pokręciła głową pani Marcelina Piorun-Hyży. – Pracy domowej nie zadaję, bo to była lekcja przyrody na zastępstwie. Patryk, przestań się szczerzyć. Malina, jutro widzę cię w szkolnym obuwiu! Janek, po co trzymasz ten brudny palec w powietrzu?!

– Wietrzę go, pani dyrektor.

– No tak, przecież pół lekcji w nosowej kopalni byłeś. Marsz do łazienki!

I mimo że komenda „marsz" skierowana była do Janka, z klasy wybiegli wszyscy.

– Bardzo fajna ta pani dyrektor – powiedziała Naniko do Maliny, gdy już usiadły sobie na przerwie – i w dodatku to nazwisko do niej pasuje. Piorun-Hyży.

– Ha, ha! – zaśmiała się Malina. – Normalnie budzi postrach w szkole. Tylko jakoś naszą klasę lubi i zawsze nam się upiecze.

– I chyba ma bzika na punkcie zmieniania butów w szkole na kapcie, prawda?

– Oj, tak – westchnęła Malina. – Naniko, bardzo ładnie mówisz po polsku.

– Eee tam, wciaż robię dużo błędów – zastanowiła się chwilę – i mam problem z wypowiedzeniem słowa „chrząszcz"... – rzeczywiście zabrzmiało to jak „czcząćz". – Widzisz? Dopiero w wakacje przeprowadziliśmy się do Polski. Ale moja mama jest Polką i w domu zawsze rozmawialiśmy w dwóch językach.

– A twój jest bardzo trudny?

– Dla mnie nie – roześmiała się Naniko. – A spróbuj powiedzieć: „Bakaki tsyalshi qiqinebs"?

– O rany – zachłysnęła się Malina z wrażenia – język można sobie połamać! A co to znaczy?

– Żaby rechocą w jeziorze!

Dziewczynki tak były zajęte rozmową, że nie zauważyły, iż obserwują je dwie pary oczu. Zacznijmy od lewej strony.

Tam przy oknie stał Łukasz Milski. Teraz uczeń szóstej klasy. Łukasz urósł bardzo przez wakacje. Bardzo ładnie też się opalił. Miał teraz podobne do Maliny piegi na czubku nosa. Jak pamiętacie, ogromnie lubi Malinę. Malina natomiast... No cóż, też, i to bardzo. Choć przez pierwsze dni szkoły robi wszystko, by się z nim nie zobaczyć i nie spotkać. Co bardzo dziwi i smuci chłopca. Na pewno domyślacie się, skąd ta zmiana w Malinie. Wszystko przez to, że wraz z Zuzią i szmaragdełkiem zajrzała do przyszłości i zobaczyła tam... no właśnie.

Z prawej strony natomiast obserwował je Bartek. Łobuziak chyba w klasie największy. Zawsze musi udowodnić, że jest najśmieszniejszy, najmądrzejszy, najsprytniejszy. I najważniejsze – najsilniejszy. Teraz widać było po jego oczach, że planuje jakąś psotę. Od kilku chwil obserwował, jak nowa

koleżanka z ich klasy siedzi sobie w najlepsze z Maliną i się śmieje. Nawet mu się to podobało, bo wtedy robiły jej się takie dołeczki na policzkach. Ale w życiu by się do tego nie przyznał. Że dziewczyna mu się podoba? NIGDY!

Naniko tak się wciągnęła w wygłupy z Maliną, że bezwiednie wyjęła z kieszonki sukienki niewielki przedmiot wiszący na agrafce. Miał on kształt monety. Bawiła się nim teraz, trzymając w ręku. Gdy Bartek to dostrzegł, długo się nie zastanawiał nad wygłupem. Rozpędził się, wyrwał dziewczynce jej skarb i ni z tego, ni z owego... wyrzucił przez okno!

– Jak kocha, to wróci, nie? – zaśmiał się głośno. – Chociaż może mieć problem, bo nie ma nóg, a te...

Nie skończył jednak zdania, bo w tym momencie ktoś złapał go z tyłu za mundurek i lekko nim potrząsnął. Był to Łukasz Milski.

– Jak widzę, kolega ma świetną zabawę – powiedział – ale jest bardzo niegrzeczny. Proponuję, by – ile sił w nogach – zbiegł kolega teraz po schodach i zanim policzę do dziesięciu, był tu z powrotem z rzeczą tej dziewczynki.

Na korytarzu zapadła absolutna cisza, która tak zszokowała nauczycieli, że wszyscy jak jeden mąż wyjrzeli z pokoju nauczycielskiego.

– A jeśli nie zbiegnę, ile sił w nogach i nie przyniosę? – próbował jeszcze się stawiać Bartek. Ale coraz słabiej... Bał się trochę starszego kolegi, który pojawił się nie wiadomo po co i zepsuł zabawę. Łukasz był poza tym wyższy od niego. I na pewno silniejszy. I miał starszego brata! No, krótko mówiąc – niepowodzenie.

– Naprawdę chcesz się przekonać? – Łukasz zmarszczył brwi i wyglądał teraz naprawdę groźnie.

Malina była oburzona zachowaniem Bartka. Trzymała przestraszoną Naniko za rękę i martwiła się, bo w oczach koleżanki pojawiły się łezki. No, tego już było za wiele.

– Bartek – stanęła obok Łukasza – masz dwie minuty. Ogarnij się. I powiem ci jedno – tu chwilę się zastanowiła, bo pewna myśl przyszła jej do głowy – zobaczysz, za to, co zrobiłeś Naniko, trzy razy spotka cię dziś kara.

– Co ty nie powiesz, Malina – zainteresował się Bartek. – Ciekawe, jaka?

– Przekonasz się, nie słyszałeś, co Malina powiedziała? – wtrącił się Łukasz. – A teraz śmigaj na podwórko.

Bartek wzniósł oczy do sufitu, obrócił się na pięcie i ruszył w kierunku schodów.

– Jeden... dwa... – rozpoczęli odliczanie Łukasz i Malina.

Za Bartkiem pobiegła cała chmara chłopaków. I oni zaczęli liczyć i śmiać się z nowej zabawy. Tylko Bartkowi nie było do śmiechu.

– Taka porażka – westchnął. – Jutro coś takiego wymyślę, że i Malinie, i tej nowej, a przede wszystkim Łukaszowi w pięty pój...

Nie dokończył jednak, bo jak nie łupnie na ziemię. Jak by go coś podcięło.

– Aaaaaaa! – wrzasnął na całe gardło.

Leżał rozciągnięty jak placek na podłodze. Jak to się mogło stać, że źle policzył schody? Milion razy tędy zbiegał! Spojrzał w górę i zobaczył poważny wzrok Maliny, z którego wyczytał: „A nie mówiłam". **I** pokazała na palcach jedynkę. Pierwsza kara!

Bartek trochę się przestraszył. Może jednak Malina ma rację? Może za to, że zrobił przykrość koleżance, spotka go naprawdę coś złego? W sumie ten upadek już można do tych kar zaliczyć! Ale nie przyzna się. O nie, nie da im satysfakcji.

Równo z dzwonkiem na lekcję wrócił z przedmiotem Naniko i wielce nadęty wręczył go koleżance. Ta z radości przytuliła swój talizman i delikatnie schowała go do kieszonki. Przez moment Malina mogła go zobaczyć z bliska.

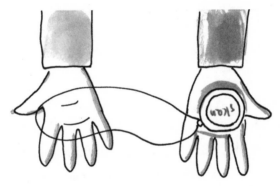

Był okrąglutki, a na środku były na nim wyrzeźbione jakieś piękne linie. Sprawiał wrażenie, że jest z kamienia, ale... Gdy promieniał takim światłem, jak teraz, które wydało się Malinie jakieś znajome, wydawał się być ze srebra. Czyżby... Musi koniecznie o tym porozmawiać z Naniko.

Tymczasem Naniko spojrzała na Bartka. To było bardzo hipnotyz**u**jące spojrzenie, a oczy świeciły jej przy tym jak gwiazdy.

— Świat jest jak lustro, odbije ci to, co mu pokażesz. A ty, co dziś pokazałeś?

Na lekcji Bartek znów małpował. Starał się rozśmieszyć całą klasę. Nie wychodziło mu to jednak, bo wszyscy myśleli o tajemniczych słowach Naniko. I z ciekawością czekali, co się wydarzy.

Malina z wielką sympatią obserwowała swoją nową koleżankę. Poczuła jakąś trudną do opisania bliskość z dziewczynką, która chyba tak jak i ona skrywa mnóstwo sekretów. Postanowiła zatem powiedzieć jej o swojej tajemnicy.

– Naniko – szepnęła tak, by nauczyciel prowadzący lekcję nie zwrócił im uwagi – ja też mam taki skarb. Też jest niezwykły. Nazywa się Szmaragdełko i... pozwala mi podróżować w czasie.

Naniko nawet się nie zdziwiła. Uścisnęła tylko mocno rękę Maliny i powiedziała:

– Dziękuję ci za zaufanie, Malinko. Ja też ci coś powiem. Mój skarb też nie należy do zwykłych. Nazywa się Sanuri.

– O rany, jak z bajki – zachwyciła się Malina. – Czy to coś znaczy?

– To połączenie dwóch słów w moim języku – szybko wytłumaczyła Naniko. – Sagandzuri to skarb, dżadosnuri to magiczność.

– Tak bardzo bym chciała, żebyś opowiedziała mi o wszystkim. Może przyszłabyś do mnie dzisiaj? – zapytała Malina. – Urządzimy piżamówkę!

– A co to jest?

– Zapytamy rodziców, czy się zgodzą – Malina już była w swoim świecie – ale myślę, że tak. Mieszkam w domu, który się nazywa Ptaszyna. I stoi zaraz obok takiego miejskiego targu, tuż przy dębach. Dziś pan sąsiad będzie malował tam płot na zielono, to na pewno rozpoznasz. I byłoby fajnie, gdybyś mogła u mnie zanocować. Mam piętrowe łóżko. A piżamówka dlatego, bo jeśli będziesz mogła zostać, zabierz ze sobą piżamę!

– Super! – ucieszyła się Naniko. – Mam nadzieję, że mama się zgodzi. I całą noc będziemy gadać?

– Nawet do rana! A w sobotę pójdziemy razem na Święto Miasta! Zobaczysz, jak jest fajnie, wszyscy zakładają stroje, jakie noszono przed stu laty, ulicami jeżdżą dorożki... Ach, tyle bym ci chciała powiedzieć!

– Ja też! Musimy jednak zaczekać do wieczora, niestety.

I wróciły do lekcji, bo pani od matematyki zaczęła właśnie dyktować nowe zadanie. Tymczasem Bartek postanowił zrobić coś, czego nie udało się jeszcze nikomu dokonać. Klasa bowiem zbiera specjalne punkty podczas lekcji, które Gabrysia zapisuje w specjalnym zeszycie. Oczywiście bez wiedzy nauczycieli. Szybko wam wyjaśnię, na czym polega ta zabawa. Chodzi o to, że kiedy pani lub pan prowadzący lekcję stoją przodem do tablicy, trzeba bezszelestnie wstać, stanąć obok ławki i usiąść, zanim nauczyciel znów się odwróci w stronę klasy. Za to dostaje się dziesięć punktów. I śmiechu jest przy tym co niemiara. Trudniejsze, za dwadzieścia punktów, jest wdrapanie się na krzesło. Ale i to kilku śmiałków osiągnęło. Patryk raz zdobył pięćdziesiąt, bo wskoczył na swoją ławkę. Wszystkich zachwycił, bo zrobił to zgrabnie niczym kot. A jak wiadomo, Patryk nie należy do najlżejszych w klasie. W punktacji był więc nie do pokonania.

I właśnie teraz zaświtało Bartkowi w głowie, że zawalczy z Patrykiem. I zdobędzie nie pięćdziesiąt, ale sto punktów. Do tej pory nikt nie odważył się podjąć takiej próby, by je zdobyć. A należałoby wykonać rzecz niewykonalną. Wskoczyć niezauważalnie na biurko nauczycielskie podczas lekcji, zrobić na nosie tere-fere i wrócić na swoje miejsce.

I tak Bartek zrobił. Kiedy pani od matematyki zaczęła pisać na tablicy bardzo długi przykład, chłopiec zerwał się ze swojego miejsca, bezszelestnie, jak cień wskoczył na biurko. I może by nawet mu się udało, bo już składał palce do tere-fere, ale w tym momencie panią od matematyki coś zakręciło w nosie. I jak nie kichnie! Aż jej flamaster wypadł z dłoni. I tak spostrzegła Bartka u siebie na biurku.

Była tak zaskoczona, że zapomniała sięgnąć po chusteczkę. A potrzebna była niezwłocznie.

– Co... co... co ty tu robisz? Dlaczego stoisz na biurku?!

Bartek rozejrzał się wokół i jego wzrok padł na rosnące za oknem drzewa.

$$\frac{3}{} + \frac{1}{2} + \ulcorner$$

— Proszę pani, doświadczenie przeprowadzam.

— Jakie doświadczenie? Na mojej lekcji?!

— Mieliśmy przed chwilą przyrodę, proszę pani, i tak mi się lekcja spodobała, bo rozmawialiśmy o... drzewach. I tam było pytanie, po czym poznać kasztanowce. Myślę więc, że po kasztanach. Ale nie mogłem ich jakoś znaleźć na drzewie. Postanowiłem więc patrzeć i na te kasztany poczekać. A stąd lepiej widać.

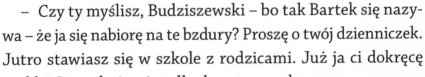

— Czy ty myślisz, Budziszewski — bo tak Bartek się nazywa — że ja się nabiorę na te bzdury? Proszę o twój dzienniczek. Jutro stawiasz się w szkole z rodzicami. Już ja ci dokręcę śrubki. I to tak, że nie tylko kasztany zobaczysz.

Bartek, kompletnie załamany, powlókł się do swojej ławki. Kątem oka zerknął jeszcze na Malinę. A ta tylko dwa palce w jego stronę wyciągnęła. Druga kara!!! Teraz to się chłopiec wystraszył nie na żarty. Postanowił dzisiejszy dzień w szkole przetrwać najspokojniej, jak tylko się da. Przesiedzieć jak mysz pod miotłą.

Niestety. Na kolejnej godzinie lekcyjnej dostał jedynkę. Z angielskiego. Pomylił się i zrobił podstawowy błąd, pisząc w zdaniu po angielsku: „Ile jego siostra ma lat". Nie to, że nie wiedział, ile lat ma siostra – aż tak roztrzepany przecież nie jest. Tylko napisał to niepoprawnie:

She HAS 10.

A należało:

She is 10,

bo w języku angielskim lat się nie ma, tylko się jest ileś tam letnim, na przykład dziesięcioletnim.

Bartek zapomniał też, że niestawianie jedynek we wrześniu już nie obowiązuje w piątej klasie. Był więc szczerze zdziwiony, gdy ocena wylądowała w dzienniku. Ale dzień – pomyślał. Starał się jeszcze dyskutować z panem od angielskiego.

– Proszę pana, ja naprawdę nie zasłużyłem na tę jedynkę – chlipał żałośnie. I przewrotka na schodach ze zbitym

kolanem, i dzienniczek z uwagą, i jeszcze taka ocena. Nie będzie dziś miłego wieczoru w domu. A rodzice na pewno za karę postawią szlaban na internet.

Nauczyciel był jednak niewzruszony.

– Masz rację. Jedynka... Nie zasłużyłeś. Ale regulamin nie przewiduje niższych ocen.

I na tym dyskusja się skończyła. I pewnie można byłoby to przeboleć. Tę jedynkę. Kiedy jednak Malina wyciągnęła w jego stronę trzy palce, Bartek aż się zapowietrzył. Obiecał sobie, że już nigdy, ale to przenigdy nikomu przykrości nie zrobi. Żeby nie wiem co. **A** Naniko dziś po lekcjach przeprosi. Może nawet zrobi ludka z tych kasztanów, co przed szkołą dokoła drzewa w niemożliwych ilościach leżą. I jakby bawiąc się ze sobą, turlają.

TURLI, TURLULU, LULU

Kochani, by przejść do kolejnego rozdziału książki, zachęcam Was do wykonania pewnego naprawdę arcyciekawego zadania. W pewien sposób ma to związek z tajemniczym zdaniem Naniko. Pamiętacie? Świat jest jak lustro, odbije ci to, co mu pokażesz. Zatem i ja coś Wam teraz pokażę, jak super się odbija. Zobaczycie to nawet bez lusterka. Popatrzcie na zwroty poniżej:

TU RYSUJ!!

KAMIL ŚLIMAK

ELF UKŁADAŁ KUFLE

A TO KANAPA PANA KOTA

Napiszcie je teraz obok długopisem. Ale od tyłu. I jak? Wiedzieliście, że tak można? ☺ Znajdźcie też wszystkie magiczne litery. Podpowiem, że w pierwszym rozdziale mamy ich aż dwadzieścia sześć. Zapiszcie je w specjalnych kratkach znajdujących się na końcu książki. Gdy przeczytacie wszystkie rozdziały i odnajdziecie resztę ukrytych liter, odkryjecie sekretne zdanie, właściwie historyjkę, która totalnie rozśmiesza autorkę tej książki. Nie mówiąc o Malinie ☺

ROZDZIAŁ

który zaczynamy,
jeżdżąc na atlasie i guzikach mamy,
się ruszamy

TURLI, TURLULU, LULU

Kolorowe guziki skrzętnie zbierane do atłasowej skrzyneczki mamy Tosi rozsypały się po podłodze.

– Auf – Malina złożyła usta w dzióbek – mama nie będzie zadowolona.

Przed chwilą dziewczynka wpadła na genialny pomysł ściągnięcia z najwyższej półki albumu ze zdjęciami rodzinnymi. Podciągnęła więc niewielką drabinkę do regału z książkami. Bez zastanowienia na nią weszła, zapominając, że zejść już nie będzie mogła. A wszystko przez ten beznadziejny lęk wysokości. Stała teraz na górze z niezbyt mądrą miną, zupełnie jak całkiem niedawno pan Mądry.

Szkoda, że w pokoju nie ma trampoliny – pomyślała – byłoby po sprawie.

Bardzo chciała pokazać fotografie swojej nowej koleżance Naniko, która już za kilka chwil miała do niej przyjść. I to nie w zwykłe odwiedziny, ale na najprawdziwszą piżamówkę! Tymczasem ona utkwiła na ostatnim, czwartym szczeblu drabinki pokojowej, ściskając opasłą księgę ze zdjęciami. I jeszcze rozsypała mamino-Tosiową guzikową kolekcję.

– Gdyby moja głupota była drabiną – westchnęła – wlazłabym po niej na sam księżyc.

Rodzice z panem Mądrym i jego małżonką siedzieli sobie w najlepsze na tarasie, pili kawę i zachwycali się przepyszną owocową bezą mamy, która była z powodu tych zachwytów w siódmym niebie. Tata Adaś co chwilę chwytał mamy paluszki w dłonie i obcałowywał je, mówiąc: A kto ma takie słodkie ręce, no kto?

– Bleee – fukała na te pocałunki Malina, choć tak naprawdę miło było patrzeć na czułości mamy i taty. Także na to, jak cały czas się przy tym śmiali.

O tym, że beza smakuje dziś naprawdę wyśmienicie, Malina już wiedziała. Podkradła bowiem w kuchni kilka odłamanych okruszków, bo oficjalnie miała ją dopiero zjeść z nową koleżanką. ▌ zostawić też dla Franka. Zapowiedział się na następny dzień, bo ma mieć mecz towarzyski w piłkę nożną niedaleko domu Maliny. A jak wiecie, Franek jest wspaniałym bramkarzem. Golkiperem, jak sam się nazywa. Franek jest też przyjacielem Maliny. Ich rodzice się śmieją, że znają się dobrze, bo od pieluch. I co racja, to racja. W wózkach obok siebie jeździli, to mogli je sobie pooglądać. A ostatnio niezwykłe przygody razem ze szmaragdełkiem przeżyli. Przypieczętowało to ich przyjaźń na wieki wieków.

Smaczna beza i kawa „O północy w Paryżu", o smaku i zapachu orzechowym, gwarantowały, że przez minimum pół godziny bez specjalnego alarmu nikt z dorosłych w pokoju się nie pojawi. A Malina też nie chciała go wzbudzać. Co to to nie! To byłby wstyd. Ale z drabinki jakoś przecież zejść musi!

– Zaraz coś wymyślę – przygryzła paznokieć, wciąż jeszcze czarny po skubanym słoneczniku. Bardzo trudno go było domyć, ten paznokieć. Mimo że i mama, i Malina cytryną go bez litości nacierały. I nic. Może mu się kolor spodobał?

Teraz jednak nie to było problemem. Malina zaczęła gorączkowo rozglądać się po pokoju. Spojrzała z góry na Rudzielca, który przycupnął pod drabiną w oczekiwaniu na komendy swojej małej pani. Spojrzała na półki pełne książek mamy i taty. Potem znów w dół na podłogę, która była teraz tak kolorowa jak jakiś perski dywan. I znów na książki...

– Mam! – krzyknęła. – Eureka!

CZY WIECIE...

Myślę, że podobnie jak Malina w tym momencie zdziwiliście się, o co chodzi z tym dziwnie brzmiącym okrzykiem «Eureka!». Bo dziewczynka naprawdę się zdziwiła, skąd jej takie słowo przyszło nagle do głowy. I to kiedy stała wysoko na drabinie. Powiem Wam jednak, że wyleciało jej ono prosto z głowy, ale jak najbardziej prawidłowo. Na pewno za sprawą taty Adasia, który opowiedział jej kiedyś historię o pewnym śmiesznym Greku. Ten Grek nazywał się Archimedes i interesował się przyrodą i matematyką. Ale nie dlatego był zabawny. Kiedyś podczas kąpieli zauważył, że poziom wody w wannie, gdy się w niej zanurzył, podniósł się o tyle, ile on zajął miejsca. A trochę ważył. Na pewno znacie grecką kuchnię, te wszystkie zapiekanki, suwlaki, tzatziki... Ach, Wasza Pakośka znów jest głodna. No nic, muszę wytrzymać do końca rozdziału. W każdym razie wyobraźcie sobie, że kiedy Archimedes siedział w jakiejś tam starożytnej balii i zaobserwował to zjawisko, wrzasnął właśnie EUREKA! Co znaczy mniej więcej: Odkryłem! Mam! Znalazłem!

To by było jeszcze nic. Ten Grek wybiegł potem z radości z tej wanny na golasa! Ciekawe, do kogo pobiegł w pierwszej kolejności, by o swoim odkryciu opowiedzieć. Żadna, niestety, książka o tym nie wspomina. Także o tym, czy Archimedes zdążył się w coś przyodziać.

To bardzo stara historia. Wydarzyła się jeszcze przed naszą erą, czyli na pewno ponad dwa tysiące lat temu. Mimo że ma tyle lat, uczymy się wciąż o niej w szkole. Na lekcji fizyki, kiedy nauczyciel omawia słynne prawo Archimedesa.

W każdym razie Malinie tak się ta goła i wesoła historia spodobała, że od tej pory częściej zażywała kąpieli. Licząc na to, że też coś wymyśli mądrego. Kończyło się jednak zawsze na nurkowaniu i robieniu bąbli w wodzie.

Malina już obmyślała swój plan.

– Zmontuję guzikorolkę z guzików!

Postanowiła, że ściągnie z półki wielki *Atlas Świata*. Był naprawdę ogromny, jak zresztą sama nazwa mówi. Potem umiejętnie zrzuci go na cztery największe guziki, które staną się na moment jego kółkami. Na wszelki wypadek Rudzielec będzie asekurował, ona skoczy, a ponieważ jest mistrzynią w jeździe na rolkach, wykona tuż przed kuchnią piruet i się zatrzyma. To ci dopiero przygoda!

Jak wymyśliła, tak zrobiła. Wyciągnęła z rzędu książek atlas świata i puściła go w kierunku ziemi. Trochę masło maślane, ale właśnie tak było. Atlas z hukiem opadł na guzikową podłogę i pod wpływem jakichś sił ustawił pod sobą pionowo sześć guzików. Wyglądały naprawdę jak kółka! Malina aż klasnęła z zachwytu. Guzikorolka tylko czekała, aby na nią wskoczyć. Dziewczynka wymierzyła odległość i lekko jak kot skoczyła z nieco zgiętymi kolanami na twardą okładkę atlasu. Ten, gdy tylko poczuł dotknięcie Malinowych BOSYCH stóp, natychmiast ruszył na guzikowych kółkach do przodu.

– Opa! – krzyknęła Malina i pomknęła w kierunku kuchni, by tam wykonać manewr zatrzymujący. W tym czasie do drzwi wejściowych ktoś zadzwonił. Był to dźwięk tak nieoczekiwany przez dziewczynkę, że z wrażenia nie wykonała zwrotu, tylko wpadła na drewniany blat, na którym wciąż były resztki mąki ziemniaczanej z bezy. Blat zadrżał i to tak, że na głowę Maliny spadły nie tylko biały proszek, ale i pożyczona przez mamę od sąsiadki z naprzeciwka, pani

Magdy, blaszana tortownica. Nie zatrzymało to jednak Maliny. Ze zdwojoną prędkością pomknęła naprzód. Właśnie w stronę drzwi. Zdążyła tylko przytomnie zawołać:

– OTWARTE!!!

W ostatniej chwili. Drzwi otworzyły się na oścież, stała w nich Naniko z wielką paczką chipsów o smaku zielonej cebulki. Malina z tortownicą na głowie niczym świetlistą aureolą, machając rękami, nie wiadomo, czy na dzień dobry, czy po prostu utrzymując równowagę, minęła na guzikorolce koleżankę, przejechała przez drzwi i wyjechała z impetem na korytarz.

Na szczęście sąsiadka Magda wychodziła z psem na spacer. Właśnie otworzyła swoje drzwi, przez które dokładnie w tym momencie do jej mieszkania wjechała z psotnym uśmiechem Malina. W czasie przejazdu zdążyła zdjąć tortownicę z głowy odrzucić ją na oczach zdumionej sąsiadki wprost na jej kuchenną półkę.

– Pani Magdo, mama bardzo dziękuje i oddaje. Beza wyszła super. Do widzenia!

I z tymi słowami na ustach, objechała salon pani Magdy dookoła, minęła ją ponownie w drzwiach, oczywiście kłaniając się grzecznie, pogłaskała też w przelocie psa yorka, co wymagało umiejętnego skłonu, i zeskoczyła dość pokracznie z guzikorolki tuż przy swojej koleżance.

DZIABACH!

BAWIMY SIĘ!

NACISKAMY GUZIKI

Wypożyczymy na moment od Maliny sześć kolorowych guzików z jej guzikorolki. Pod każdym ukryję teraz odpowiedź na pytanie, które za chwilę Wam zadam. Tylko jedna odpowiedź jest prawidłowa. Waszym zadaniem będzie odnalezienie jej, następnie naciśnięcie odpowiedniego guzika palcem... Ale! Ten palec ma zostać upaciany w farbie, i to

w kolorze guzika, który jest właścicielem właściwej odpowiedzi. Gotowi? Zatem zaczynamy! W przedpokoju
domu Maliny wisi piękny stary zegar. Gdy jego metalowe
wskazówki obejdą tarczę dokoła, czyli przejdą sześć-
dziesiąt minut, zegar wybija godzinę. Pełną godzinę. W za-
leżności, jaki czas wskazuje, tyle słyszymy uderzeń. Ile
zatem razy wybije zegar od dwunastej w południe do
północy? Kto umie liczyć w pamięci, kto dopiero uczy się
liczyć, może skorzystać z kalkulatora. Trzymam kciuki!
☺ Odpowiedź znajdziecie na końcu drugiego rozdziału,
choć myślę, że bystrzaki odkryją ją znacznie wcześniej.

O – zielony 12
O – żółty 60
O – czerwony 24
O – niebieski . . . . O
O – biały 48
O – czarny 78

Tymczasem Naniko stała niczym słup soli. Tuż przy
drzwiach wejściowych, nad którymi stary zegar wesoło sobie
bimbał. Zarówno na to, co się działo, jak i godzinę siódmą.

– Cześć, Naniko – przywitała się z lekką zadyszką Malina, podnosząc z ziemi atlas i zbierając sześć guzików, w tym
jeden jakimś sposobem umazany czarną farbą. – Już jestem!

– Ojejku – Naniko z uznaniem pokręciła głową – to naprawdę było coś! Wszystko w porządku? Zawsze tak witasz
gości?

– Jasne, to taka polska tradycja – roześmiała się Malina. – A tak poważnie, to przez moment był kłopocik, bo musiałam jakoś zejść z drabiny. Ale udało się! Pierwszy raz! Cieszę się, że jesteś. O! I chipsy! Chodź, ukryjemy je od razu pod szafą, bo inaczej mama nam je zabierze.

– Tak bardzo je lubi?

– Co ty, wręcz odwrotnie. Mówi, że są bardzo niezdrowe i uzależniają. Z czym się zgadzam w stu procentach.

– A chipsy to nie ziemniaki? – zastanowiła się Naniko. – Te są przecież w porzo; zaczekaj, tu jest skład: ziemniaki, olej roślinny palmowy, olej roślinny słonecznikowy, preparat aromatyzujący o smaku zielonej cebulki, cukier, mleko w proszku, wzmacniacze smaku... Gl u t...

– Glut? Na pewno dobrze przeczytałaś? – przestraszyła się Malina. – Przecież są to chipsy cebulkowe, a nie glutowe!

– Tak. Ale glut jest i to aminian jakiś – dukała małe literki na opakowaniu Naniko – potem rybo coś...

– Rybocoś w chipsach? – Malina załamała się już kompletnie, bo za wszystkim, co żyje w wodzie, nie przepadała od dziecka. – No, tego już nie wytrzymam.

– Chyba jakiś ich rodzaj. Rybo-nukleo-tydy – przesylabizowała Naniko – a potem to jakieś regulatory, kwasy, czosnek w proszku, olej i sól.

– Wiesz co, Naniko – zastanowiła się przez moment Malina – może rzeczywiście mamie te chipsy oddamy. Wymienimy na przykład na bezę, choć daję głowę, że mama zaproponuje nam jakieś chrupiące marchewki albo coś równie superzdrowego.

W tym momencie w głębi domu rozległ się krótki, aczkolwiek donośny okrzyk.

– No tak – westchnęła Malina – guziki.

– Guziki? – zainteresowała się Naniko. – To jeszcze jakaś polska tradycja?

Malina nie zdążyła odpowiedzieć koleżance, bo mama Tosia wpadła jak bomba do pokoju, do którego dziewczynki też już dotarły.

– Malina! Co się stało z moimi guzikami?! – wypaliła z prędkością karabinu maszynowego. – Jak to się stało, że spadły z ostatniej...

– Dzień dobry – powiedziała nieśmiało Naniko, ratując sytuację – jestem nową koleżanką Maliny. Nazywam się Naniko i przyjechałam z...

– Ach! – opanowała się szybko mama. – Dzień dobry, bardzo mi miło. Jestem mamą Maliny. Bardzo chciałam cię poznać. Dużo o tobie słyszałam.

– Naprawdę? – zdziwiła się Naniko, która dopiero od dwóch tygodni mieszka w Milanówku, a dziś pierwszy raz była w szkole.

– Naprawdę – roześmiała się mama – byłam kilka razy na naszym miejskim targu, a tam przekaz informacji jest szybszy niż w Internecie. Poza tym Malina opowiedziała mi o dzisiejszym dniu w szkole.

– Tak – przytaknęła Naniko. – Był naprawdę interesujący. I pouczający.

Na te słowa mama Tosia uśmiechnęła się i westchnęła:

– Ach, żeby moja córka miała takie przemyślenia. Ale może się jeszcze doczekam.

– Mamo, proszę – zawstydziła się Malina – przecież szafę już prawie zawsze zamykam.

– No właśnie, kochanie, prawie. Natomiast zawsze otwierasz. Zatem rachunek jest nierówny. A co ty tam chowasz za plecami? Czy to nie są przypadkiem...

– Przypadkiem to na pewno u nas się znalazły. W każdym razie właśnie chciałyśmy ci je oddać. Może pan Mądry z żoną będą mieli ochotę...

– Wiesz, Malinko, że jedzenia chipsów nie pochwalam. Przyniosę wam w zamian chrupiące marchewki...

Mama Tosia pochwyciła wiele mówiące spojrzenia, jakie dziewczynki sobie posłały, i szybko dokończyła:

– Ale przygotowałam też owocową bezę. Według mistrzowskiego przepisu cioci Ani. Więc jeśli nie jesteście jeszcze głodne, tak kolacyjnie, to chyba od razu przyniosę wam po kawałku. Pan Mądry prosił przed chwilą o trzecią dokładkę, więc trzeba się spieszyć.

– Mamo, proponuję zatem, abyś natychmiast podała mu cebulkowe chipsy, które zawierają...

– A ja tobie, kochanie, zaproponuję, żebyś natychmiast posprzątała moje skarby i wrzuciła je do pudełeczka. Co do jednego. Czyli sztuk sto dziewięć. Przeliczę!

– Ja Malinie pomogę – zaoferowała Naniko.

– Świetnie – ucieszyła się mama – więc może mam szansę, że nic z mojej kolekcji nie zginie. Bawcie się dobrze, nie będę wam przeszkadzać. Na stole macie jeszcze lemoniadę cytrynową. Naniko, proszę, żebyś czuła się tu jak u siebie w domu. Może jutro przy śniadaniu opowiesz mi trochę o swoim rodzinnym mieście. Jak dziś wygląda. Dobrze je kiedyś poznałam.

– Zna pani moje miasto? – Naniko otworzyła szeroko oczy ze zdumienia. – To trzy tysiące kilometrów stąd! Jak? Była pani na wycieczce?

– Nie do końca – uśmiechnęła się mama – to długa historia. I bardzo magiczna. Myślę, że dzięki niej zaczęłam spełniać swoje marzenia. I zajmować się tym, czym się zajmuję do dziś... *Nachwamdis!*

Powiedziawszy to, zakręciła się radośnie na pięcie i wyszła z pokoju, zostawiając dziewczynki z nierozwiązaną tajemnicą i dziwnym słowem.

– Co moja mama powiedziała?

– Że tam, gdzie się urodziłam, zaczęła spełniać swoje marzenia...

– Ale to słowo na końcu.

– Ach – klepnęła się w czoło Naniko – po prostu „do zobaczenia, na razie". Kim jest twoja mama z zawodu? – dopytywała się.

– Mama jest aktorką – wyjaśniła Malina. – Gra w teatrze, śpiewa i tańczy – dodała z jeszcze większą dumą.

– Ciekawa jestem, jak twoja mama dotarła do mojego kraju – zamyśliła się Naniko. – Bardzo chciałabym to wiedzieć.

W tym momencie Malinie zaświtała pewna myśl.

– Naniko, myślę, że wiem, jak spełnić twoje życzenie. Najpierw posprzątajmy jednak te nieszczęsne guziki. Mama nie lubi, gdy się nie dotrzymuje słowa.

Sprzątanie nie zajęło im tak dużo czasu, jak spodziewała się Malina. Uwinęły się naprawdę w kilka minut. Najpierw zebrały wszystkie guziki na szufelkę, a potem liczyły po kolei i wkładały do atłasowego pudełeczka.

– Już sto pięć! Sto sześć, siedem, osiem... – cieszyła się Malina – ale gdzie jest sto dziewiąty?

Zaczęły się rozglądać dokoła. Pokój wydawał się już czyściusieńki, a ostatniego guzika ani śladu. Wtedy wzrok Maliny padł na porzucony na podłodze album ze zdjęciami – przyczynę całego zamieszania. Jedna karta jakoś tak dziwnie odstawała.

– Chyba mam! – Podbiegła do znaleziska, otworzyła na uchylonej stronie i wyjęła guzik. – Jest!

– Malina, zobacz! – Naniko zajrzała koleżance przez ramię. – Zobacz to zdjęcie!

– To jest mama Tosia – odpowiedziała Malina – chyba w tym samym wieku co my. I tańczy... Ale ma ładną sukienkę. Piękną.

– A jak ci powiem, że to sukienka z mojego kraju, to uwierzysz?!

– No co ty?! Niewiarygodne... Zatem, nie ma co zwlekać. Rozwiążmy zagadkę. Chodź. Coś ci pokażę.

I wzięła Naniko za rękę. W swoim pokoju otworzyła skrytkę i wyjęła z niej szmaragdełko. Magiczne zielononiebieskie szkiełko, dzięki któremu odbyła już tyle podróży w czasie. Błyszczało pięknie na jedwabnej wstążeczce.

– Cudne – zachwyciła się szmaragdełkiem Naniko. – Opowiesz mi o nim?

I tak Malina zwierzyła się koleżance ze swojego sekretu. Opowiedziała, jak szmaragdełko trafiło w jej ręce i jak je dzięki prababci Irence odzyskała. Bo prababcia wie o wszystkim i Naniko koniecznie musi ją poznać. Była też historia pierwszego polskiego samolotu sportowego „Kogutek", który został skonstruowany w milanowskiej zagrodzie w 1929 roku i którego plany dało się uratować, by nie trafiły w niepowołane ręce. Malina wspomniała także, jak z przyjacielem Frankiem podczas zawieruchy wojennej ocalili serce wielkiego polskiego kompozytora, Fryderyka Chopina. Była też mowa o starym radiu i zegarze słonecz-

nym przy ulicy Leśnej 9. Naniko słuchała opowieści z zapartym tchem. Prawie nie oddychała. Byle tylko nic jej nie umknęło.

– Czy to podróżowanie w czasie jest bezpieczne? – zapytała nieśmiało.

– To zależy – zastanowiła się Malina – wszystko jest dobrze, dopóki na drodze nie pojawi się pan...

– Dziewczynki! Niespodzianka! – Mama Tosia tak nieoczekiwanie stanęła w drzwiach, że przyjaciółki aż podskoczyły. Zdążyły jednak zasłonić szmaragdełko. – Beza!

BAWIMY SIĘ W ZASŁONIE
W FORTEPIAN I SŁONIE
Mam dla was maleńką zagadkę. Trochę wariacką. Ale mi się skojarzyło, bo było przed chwilą o Fryderyku Chopinie, a potem, że dziewczynki zasłoniły szmaragdełko... Jak ktoś nie chce się wygłupiać, niech zagadkę ominie. Tylko niech postuka się najpierw w głowę.

STUK, STUK

O tak!

Natomiast ci, którzy chcą się bawić, niech schowają się teraz w zasłonie. Po prostu stańcie za nią, by nikt Was nie widział. Nie to, że się chowamy, choć przy okazji zawsze można zrobić komuś psikusa. Chowamy

się tam po to, by nam się lepiej myślało, koncentrowało
i na zagadkę odpowiadało. A brzmi ona:

Czym się różni fortepian od słonia?

Odpowiedzi mogą być przeróżne. Bo przecież słoń
i fortepian różnią się naprawdę pod każdym względem.
Mnie zawsze bawi jedno rozwiązanie, szkoda, że nie
pamiętam, kto je wymyślił:

FORTEPIAN można zaSŁONić, a SŁONIA... no właśnie! ☺

– Dziękujemy – odpowiedziały chórem Malina i Naniko,
w mgnieniu oka pałaszując owocową bezę, aż im się uszy trzęsły.

– Tak sobie pomyślałam, dziewczyny – powiedziała mama
Tosia – że dopóki my będziemy siedzieć na tarasie, to nikt
wam nie będzie przeszkadzał. To może wskoczycie od razu
w piżamy?

– Superpomysł, mamo – ucieszyła się Malina – bo potem
się zagadamy i zaśniemy w ubraniach, i jak to się mówi,
jeszcze wylejemy dziecko z kąpielą.

– Co ci, świrku, chodzi po głowie – czujnie spojrzała na
córkę mama – jakie dziecko? W każdym razie na pewno
o łazience nie zapomnijcie. Świeżą pościel już wam przygotowałam. Jak by co, to mnie wołajcie.

Kiedy mama Tosia wyszła z pokoju, Naniko spojrzała na
Malinę, która zza pleców wyciągnęła szmaragdełko.

– Malina, a o co chodzi z tym dzieckiem?

– Dokładnie to nie wiem – zastanowiła się Malina – to
chyba z nerwów, żeby mama nie zobaczyła szmaragdełka.
Chciałam powiedzieć coś mądrego... A jak zwykle palnęłam.

aaaa...

CZY WIECIE...

Na pewno i Wy słyszeliście, jak ktoś mówił: Uważaj, byś
nie wylał dziecka z kąpielą. Trochę przerażające powiedzenie i strach jakoś nawet do wanny wejść, gdy ktoś
tak mówi. Nie należy tego jednak brać dosłownie. Nikt
nas z wanny nie wyleje. Dopiero musiałby mieć siłę, żeby
ją z nami podnieść! Ale tak się mówi, gdy na przykład
ktoś bardzo chce coś mieć i robi wszystko, żeby tylko
to mieć, gdy tymczasem może w tym czasie stracić coś
bardziej cennego. Taka historia wydarzyła się kiedyś
w klasie Maliny. Magda, która jest bardzo dobrą uczennicą, chciała być uczennicą jeszcze lepszą. Mieć szóstki
od góry do dołu. I tak się zaparła, że nic – tylko się
uczyła. Nie wychodziła się bawić, nie odpowiadała na te-
lefony swojej najlepszej koleżanki Ady. Nawet wtedy, gdy
przyjaciółka bardzo jej potrzebowała. I wiecie, co się stało? Ada przestała dzwonić do Magdy. Przestała też się
z nią przyjaźnić. Magda, mimo że na świadectwie miała

same oceny celujące, straciła przyjaciółkę. I co wy na to? Można było Magdzie zwrócić uwagę i powiedzieć: – Hej, Magda, wszystko fajnie z tą nauką, ale nie wylej dziecka z kąpielą! Może by się wtedy choć trochę zastanowiła?

Przy okazji powiem Wam, skąd to powiedzenie się wzięło, bo myślę, że Wam się spodoba. Otóż były takie czasy, bardzo dawno temu, kiedy uważano, że częste mycie skraca życie. I rzeczywiście, unikano kąpieli jak ognia. Szczególnie w takich miejscach, gdzie kąpali się wszyscy. Te miejsca nazywano łaźniami. Jeśli już trzeba się było wyszorować – starano się kąpać w domu. Nie było to jednak w tym czasie proste. Nie było na przykład kranów, gdzie wystarczy odkręcić kurek i gotowe. Szykowano więc taką wannę długo i starannie. Grzano wodę. I wtedy wchodził do niej najstarszy z rodu. Powiedzmy dziadek. Potem tata, jego synowie, bo najpierw kąpali się panowie. Potem babcia, mama, córki, a na końcu dzieci i niemowlaki. Trudno to sobie wyobrazić, ale wszyscy w tej samej wodzie! Pod koniec musiała być ona nie tylko zimna, ale i czarna jak smoła! Dna na pewno nie było w niej widać. Stąd też bardzo uważano, by tego niemowlaka, który kąpany był jako ostatni, w ciemnych wodnych odmętach nie zgubić.

Mam nadzieję, że ta historia pozwoli Wam docenić, jak cudnie jest teraz mieć swój czas i swoją wodę w łazience. I jak fajnie jest z niej korzystać ☺

CHLUP, CHLUP

Dziewczynki błyskawicznie wskoczyły w piżamy, wyszorowały porządnie zęby i w pokoju gościnnym zasiadły na dywanie przy starym radiu. Malina przyniosła też swoje szmaragdełko i album ze zdjęciami, który otworzyła na stronie, gdzie patrzyła na nie mała mama Tosia w pięknej srebrnej sukni.

– Naniko – szepnęła uroczyście – czy jesteś gotowa na podróż w czasie ze szmaragdełkiem?

– Nie mogę się doczekać. – Naniko była naprawdę podekscytowana. – Bardzo chciałabym wyjaśnić słowa twojej mamy, że zna mój kraj rodzinny... Ja też chcę ci potem opowiedzieć o mocy mojego skarbu. O Sanuri. Tylko ja, niestety, jeszcze nigdy go nie wypróbowałam. Powiedziano mi jedynie, że dzięki niemu mogę zerkać do przeszłości i jak w kinie ją sobie oglądać. Tak też poznałam jednego króla z dawnych czasów, który miał ponad dwa metry wzrostu i głowę wilka na hełmie... Jak ty odkryłaś działanie szmaragdełka?

– To był przypadek – zastanowiła się Malina – na pewno muzyka i to stare radio z zielonym okiem mi wtedy pomogły.

– To radio, przy którym teraz siedzimy?

– Tak, piękne, prawda?

– Bardzo – zachwyciła się Naniko i miała wrażenie, jakby zielone oko radośnie ku niej zamrugało.

– Skoro zatem mamy pytanie dotyczące przeszłości – powiedziała Malina – mamy zdjęcie, wiemy, kogo i czego szukamy, spróbujmy...

Odruchowo sięgnęła do szyi, na której wisiało szmaragdełko na delikatnej jedwabnej wstążeczce. Szkiełko wielkości

laskowego orzeszka świeciło już zielononiebieskim blaskiem.
I było bardzo, bardzo ciepłe...

– Włącz teraz radio, Naniko.

Dziewczynka chętnie to zrobiła.

Z radia popłynęły słowa nieznanej im piosenki. Śpiewała
je bardzo słonecznie jakaś pani. Opowiadała, jak z jakąś
Julią przygotowują cuda. Jak jakieś wróżki... Było tam też
o zegarze, który zatrzymuje czas wtedy, gdy jest dobrze,
i o Mlecznej Drodze. Naprawdę zrobiło się bajkowo. Szmaragdełko stawało się coraz bardziej gorące, a zielone oko
radia powiększało wyraźnie, otwierając tajemniczy świetli-
sty korytarz. Malina i Naniko spojrzały na siebie i skinęły
głową. Wiedziały, że to jest ta chwila. Wzięły się więc za ręce
i skoczyły w migoczące światełka.

Frunąc, wciąż słyszały słowa piosenki.

Słoneczne skry, w których śmiech śpi,
co kluczem jest do wszystkich ludzi,
i słowa dwa, a kto je zna,
ten w każdym sercu miłość wzbudzi
i innych rzeczy sto, więc przyjdź i wybierz coś.

słowa B. Olewicz, muzyka M. Trojan, śpiewa Zdzisława Sośnicka

Wokół nich pojawiały się inne szmaragdełka. Jak okruszki. I to w najprawdziwszej feerii barw. Po chwili były ich tysiące. Ba! Miliony! Miliardy tryliardów! Dziewczynki robiły wśród nich gwiazdy i fikołki. I śmiały się jak szalone. Malina to aż czkawki dostała. I już chciała stanąć sobie w tym stanie szmaragdełkowej nieważkości do góry nogami, ale nie zdążyła... Bo nagle wszystko gwałtownie w drugą stronę zawirowało, huknęło i...

Dziewczynki miękko wylądowały na ceglanym murku przed budynkiem, który na pierwszy rzut oka wyglądał jak stara fabryka. Przed nim stał duży autobus. Nad kołami był biały, od linii okien czerwony. Ani Malina, ani Naniko nie znały takiego modelu. Na masce miał jednak napisane Ikarus, jak większość znanych im autobusów.

– *...więc przyjdź i wybierz coś* – płynęły słowa z samochodowego radia.

Przed autobusem kłębił się tłum dzieci. Malina i Naniko zorientowały się, że wróciły właśnie z jakiejś podróży. Wypakowywały teraz tysiące walizek, plecaków, pudełek. Każde z nich niosło też ogromny pomarańczowy worek. Z niezbyt lekką zawartością. Jeden był niedomknięty i wychylał się z niego bardzo charakterystyczny strój. Zielona spódnica w kwiaty. Biała bluzka z szerokim kołnierzykiem i bufiastymi rękawami. Wisiał na niej czarny serdak z naszytymi ozdobami z cekinów. Na dole zawiązany był czerwoną kokardą.

– To strój krakowski! – objaśniła fachowo Malina. – Gdzieś jeszcze powinien być wianek z kolorowymi kokardami. Chyba wiem, gdzie jesteśmy. Mama, gdy była mała, tańczyła w zespole ludowym – tu chwilę się zastanowiła – to znaczy takim, który wykonuje tańce z różnych regionów Polski. I to na pewno jest ten zespół!

– To by trochę wyjaśniało sprawę – zastanowiła się Naniko. – Ale skąd tańce z mojego kraju w polskim zespole?

– Myślę, że zaraz się dowiemy – tajemniczo uśmiechnęła się Malina, bo w tłumie dostrzegła już mamę Tosię, która oczywiście jeszcze mamą nie była. I wyglądała jakoś śmiesznie.

– Lata osiemdziesiąte dwudziestego wieku – westchnęła – ta moda naprawdę mnie porywa.

Mama miała na sobie spodnie. Niby dżinsowe. Na górze totalnie pumpiaste, na dole wąskie. Taka piramida do góry nogami. Kolor spodni był trudny do opisania. Na granatowym tle jasne plamy, które je w całości pokrywały. Tak jakby ktoś na nich białą farbę rozpaćkał i potem bardzo dokładnie rozsmarował patykiem. Mama naciągnęła jeszcze na te spodnie jakieś grube skarpety.

– O ludzie – pokręciła głową zdruzgotana Malina – chyba nie odnalazłabym się w tych czasach modowo. Naniko, zobacz bluzki dziewczyn!

Naniko aż się roześmiała. Wszystkie dziewczynki, które wysiadały z autobusu, miały bardzo podobne bluzki. Charakteryzowała je pewna rzecz. Wszystkie miały wszyte na ramionach pod materiałem wielkie poduszki. Stąd te często drobne dziewczynki wyglądały jak zapaśniczki!

– To może jakiś konkurs z tymi poduszkami? – zainteresowała się Naniko. – Może, kto szerszy, ten lepszy? Fajne są jednak kolory tych bluzek. I to, że wyglądają jak motylki.

Mama Tosia miała na sobie bluzkę różowo-białą. Taką jakby przeciętą na skos. W spodniach czarny pasek w srebrne kółka, na czole zielono-żółtą opaskę, na nadgarstkach jakieś frotki – jak gumki do włosów. Tylko szersze. W ogóle sprawiała wrażenie, jakby bardzo wiele rzeczy na siebie założyła. Bez lustra. Włosy też były w kompletnym nieładzie i puszyste, co dało Malinie jakąś nadzieję na przyszłość. Bo dorosła mama Tosia ma już lśniące czarne loki.

BAWIMY SIĘ
w PROJEKTANTÓW MODY

BAWIMY SIĘ!

Skoro tak dużo rozmawiamy teraz o strojach, chciałabym Wam zaproponować zabawę w projektantów. Stylistów. Designerów. Przygotujcie, proszę, nożyczki, klej i jakieś kolorowe czasopismo. Z gazety powycinajcie elementy ubrań, które Wam się podobają. Potem, najpiękniej jak umiecie, ubierzcie manekin, który jest pod spodem pod chmurką. Może być chłopakiem lub dziewczyną, to już Wasza decyzja. Choć możecie poszaleć i na przykład chłopakowi na głowie umieścić wianek krakowski z kokardami. Dziewczynce kask motocyklowy albo hełm wikinga. Ważne jest tylko jedno: styl, który chcecie stworzyć. Powinien być niepowtarzalny. Podpiszcie potem koniecznie swój projekt.

Ach! I nie zapomnijcie o butach!

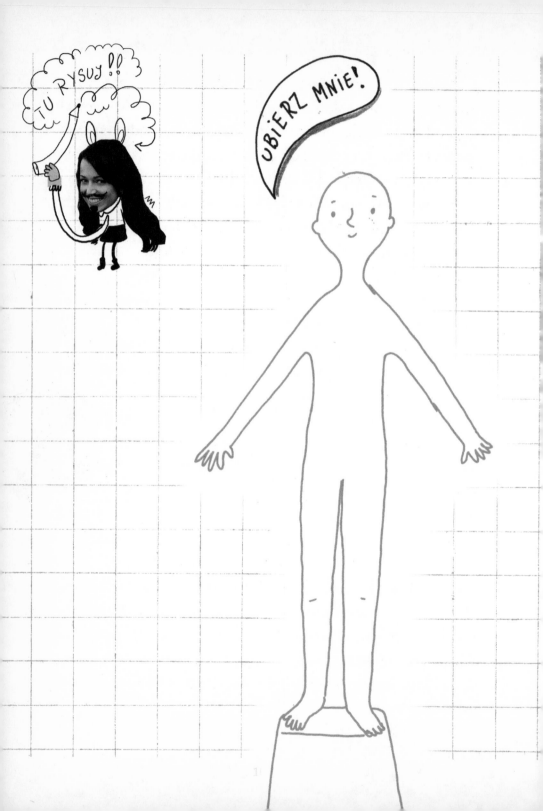

– Kto ma jeszcze siły na próbę? – krzyknęła pulchna pani o bardzo zgrabnych nogach.

– Pani Danusiu, nie dzisiaj!!! – krzyknęły dzieci jak jeden mąż, czyli zgodnym chórem. – Przecież dopiero przyjechaliśmy. I to jeszcze z tak daleka!

– Najpierw lot samolotem, potem tym zdechlakiem z nieprzeciętną muzą – wskazał autokar blondynek. Tak ładny jak aniołek. Charakter jego nie szedł, niestety, w parze z wyglądem. W trakcie swojej wypowiedzi, nie wiadomo dlaczego, podcinał kolegę stojącego przed nim. Kopiąc w kostkę.

– I z jakimi przygodami! – dopowiedział rudowłosy chłopiec, wyjadając coś z przejęciem z puszki z napisem MIE-LONKA. – Gdy nasz pilot powiedział, że jeden silnik nie działa w samolocie, to mi się naprawdę niedobrze zrobiło. Ze strachu oczywiście! – dodał.

– Tobie? Ze strachu? – sapnęła pani Danusia. – No, w to nie uwierzę. Poza tym, Mariusz, wszystko było pod kontrolą.

– A skąd pani wie – naciskał dalej chłopiec. – Była pani w kokpicie?

– Gdzie?! – zdziwiła się pani.

– No właśnie! – chłopiec o imieniu Mariusz ucieszył się, że wytrącił ją z równowagi. – I powiem pani, że nawet przelecenie dokoła wierzchołka tej góry nie wynagrodziło mi tego stresu. Pani zobaczy, jak jeszcze się trzęsę. Och, słabo mi! Aaaa! – Podał koledze stojącemu obok pustą już puszkę i złapał się za głowę tak, jakby go naprawdę bolała.

Wszystkie dzieci wybuchnęły śmiechem.

– Mi też słabo – przytaknął blondynek piękny jak aniołek, nie przerywając kopania w kostkę sąsiada.

– I mi, i mi – dołączały pozostałe dzieci. – Aaaaa!

Pani Danusia, która prawdopodobnie była dyrektorką zespołu, tupnęła nogą.

– Spokój! Godzina was nie zbawi – zmarszczyła brwi – poza tym, po pierwsze, jesteśmy trochę wcześniej, niż zaplanowaliśmy. Rodzice jeszcze po was nie przyjechali. Po drugie, trzeba rozpakować i rozwiesić wszystkie kostiumy. Koszule wziąć do domu do prania! Po trzecie, nie możemy zapomnieć, czego się nauczyliśmy za granicą. Powtórzymy układ nowego tańca, pan Lesio go zarejestruje na wideo. Rozdzielę też dziś solówki. Zobaczymy, komu przypadną tajemnicze prezenty. Jak wiecie, nie będę miała na to wpływu...

– Oooooooo! – westchnęły dzieci. – Taaak!

– Zatem, marsz zakładać baletki – zakończyła dyskusję pani Danusia i weszła do budynku, który, o czym świadczyła tabliczka na drzwiach wejściowych, był siedzibą zespołu pieśni i tańca.

Dzieci bez mrugnięcia okiem ruszyły za panią dyrektor. Malina i Naniko zawahały się.

– A na pewno nas nie widać, Malinko? – zapytała Naniko. – Jesteśmy w piżamach!

– No i co z tego. – Malina wzięła się pod boki i niespodziewanie wykonała w powietrzu coś efektownego. – Za to nawet w piżamie umiem to! Hołubiec! Tadam!

I powtórzyła to COŚ jeszcze raz. Coś, czego Naniko nie mogła nie tylko powtórzyć nogami, ale nawet wypowiedzieć. Było to jednak bardzo śmieszne. Naniko więc śmiać się zaczęła. A im bardziej się śmiała, tym więcej Malina skakała.

– To polska tradycja? – zwijała się ze śmiechu.

– Naj-praw-dziw-sza! – Malina jeszcze odpowiedzieć coś chciała, ale już zadyszki dostała. – Nauczyła mnie tego ma... maaaa... maaaaa!

BĘC.
(z KROPKĄ)

W pięknym stylu wywróciła się Malina. „Bęc" dlatego jest z kropką zapisane, bo dziewczynka wylądowała twardo na pupie. Bez turlania i przeginek na boki. Wiecie, o czym piszę, prawda? Auć!

BAWIMY SIĘ!

WYCINAMY HOŁUBCA

Mimo że zabawa ma w tytule wycinanie, nie będziemy korzystać z nożyczek ani innych nożyków czy przedmiotów do cięcia. Wycinać będziemy bowiem nogami!!! Naprawdę! Już Wam tłumaczę. Hołubiec jest to taki element polskiego tańca ludowego, który polega na uderzeniu butem o but w podskoku. Nie żartuję. Tak się je właśnie, te hołubce, wycina. I bardzo bym chciała zachęcić Was do wykonania takiego czegoś. Podskoczcie i wtedy bach, buch stopami. Uwaga! Pierwsze próby przeprowadźcie koniecznie na miękkim podłożu. Bo o wywrotkę bardzo łatwo. Dla zainteresowanych tematem polecam obejrzenie w Internecie tańca krakowskiego w wykonaniu Zespołu Pieśni i Tańca Mazowsze. Może ktoś tak polubi hołubce, że będzie chciał tańczyć w takim zespole? Koniecznie trzeba wtedy odwiedzić siedzibę Mazowsza w podwarszawskim Karolinie. Wszelkie informacje znajdziecie też na profilu zespołu na Facebooku. A na razie Wasze próby możecie przesłać tamże na moje konto. Skaczę razem z Wami! Opa! Opa!

STUK, STUK!

DY DY DDY DY

— Nie chłodno ci w tej piżamie? – zmieniła temat Naniko, stukając zębami i podnosząc Malinę z podłoża. – Trochę zimno.

— Bo wybrałyśmy się na wyprawę, nie zabierając chociażby bluzy. Mama by teraz powiedziała, że rozebrałyśmy się do rosołu – roześmiała się Malina.

— Rosołu? Jesteś już głodna?

— Nie, nie, tak tylko się mówi. Gdy według mamy nieodpowiednio się ubiorę, to wtedy zawsze mówi mi o tym rosole... Nieodpowiednio, za lekko, ubiorę oczywiście według mamy. Bo ja się zawsze czuję wyśmienicie. Choć często potem mam katar...

A PSIK!

— No właśnie – roześmiała się Naniko. – Chodźmy zatem za dziećmi do środka. Tam jest chyba jakaś sala prób. Ale ładne metalowe schody... Malina, proszę, przestań już skakać. Ciekawe, jak wyglądają te solówki...

— Może chłopaki się biją? – przestraszyła się Malina, stając jedną nogą na stopniu, a drugą zawieszając w powietrzu. – Jeden na jednego? Jak u nas w klasie Bartek z Mateuszem.

— Eee tam – pokręciła głową Naniko – ta pani dyrektor by na to nie pozwoliła. Chodzi na pewno o występ solowy kogoś w tańcu. Ktoś będzie tańczył sam. Chcę zobaczyć też te tajemnicze prezenty, o których mówiła ta pani dyrektor. Chodź.

– Żeby tylko mama...

– Przecież mówiłaś, że nas nie widać. Chodź, Malina. Cokolwiek nas tam spotka. Może uda nam się przymierzyć te dziwne spodnie piramidy!

– Albo bluzki z siateczką!

– Wzięłaś telefon? Sweet focie byśmy sobie zrobiły...

– Nie wzięłam. Beznadziejna jestem... – załamała się Malina jak typowa w tym wieku dziewczyna.

CZY WIECIE...

Nie chcę spowalniać akcji książki, ale pomyślałam, że ja też często słyszę w domu, iż jestem rozebrana do rosołu, kiedy nie jestem kompletnie ubrana. Co tak naprawdę ma to wspólnego z zupą z kury? Postanowiłam to sprawdzić. Bo nie chodzi tu chyba o czynność rozbierania mięsa do rosołu, czyli oskubanie z piór ptaka. A potem jeszcze wrzucenie go do zimnej wody i zagotowanie z warzywami. Brr! Ja piór nie mam i nie życzę sobie wrzucania mnie do jakiejkolwiek wody! Może więc powiedzenie wzięło się od wrzątku podawanej zupy z kury? Jak człowiek widzi taki dymiący talerz, to sweter raczej na pewno zdejmuje. Jest też taka legenda, jak pewien pan, który nazywał się Araburda, został kiedyś ugoszczony przez chciwego gospodarza bardzo cienką zupą. Cienką, czyli bardziej podobną do wody niż rosołu. Niezrażony sytuacją Araburda zaczął się nagle przed talerzem rozbierać. Na pytanie przerażonego gospodarza: – Co robisz?!, po-

wiedział, że rozbiera się, by wskoczyć do talerza z rosołem. Bo może wtedy na jego dnie jakiś smaczny kąsek znajdzie. Pomysłowy gość, prawda? I wiecie co? Ta historia mnie przekonuje. ☺

Malina i Naniko weszły na pierwsze piętro budynku. Ściany korytarza były pokryte w całości drewnianymi deseczkami. Jedna obok drugiej. Były w nich otwory na kontakty elektryczne. Czegoś takiego dziewczynki jeszcze nie widziały. W ich czasach z takimi wnętrzami się nie spotkały. Do deseczek przyciągnięte były blaszane kontenery, które okazały się szafkami tancerzy zespołu. Większość była otwarta. Dziewczynki mogły więc z bliska podziwiać różnokolorowe stroje taneczne. Wisiały w mniejszym lub większym ładzie. Krakowskie, kurpiowskie, łowickie. Stroje do mazura, tańców warszawskich. Wysokie wiązane buty. Czarne i czerwone. Skórzane kierpce góralskie. Fartuszki. Białe rajstopy. Pasy. W dziewczyńskich szafkach wisiały też najprawdziwsze warkocze! Na końcu korytarza stała największa szafa. Była również otwarta.

– Malina! – Naniko aż usta zakryła z wrażenia. Na uchylonych drzwiach szafy wisiały dwa stroje. Chłopięcy, składający się z czarnych spodni i białego płaszcza ze srebrnymi pionowymi rulonikami i z metalowym pasem z przypiętym mieczem. I dziewczęcy. Była to przepiękna biała długa suknia z haftowaną srebrnymi nićmi szarfą w pasie. Wyglądała jak z bajki.

– Malina – nie mogła znaleźć słów zachwycona Naniko – to jest najśliczniejszy strój, jaki widziałam. I co najważniejsze, jest to suknia dla dziewczyn z mojego kraju. Nie każda może ją jednak założyć...

– Jak to? – zdziwiła się Malina. – A moja mama właśnie ma zdjęcie w tej sukni! Przecież widziałaś!

– I dlatego mnie to ciekawi, jak ona tu się znalazła i dlaczego akurat twoja mama została wybrana, by ją nosić! To wielka nagroda!

W tym momencie na korytarzu pojawiły sie dwie panie. Zdecydowanym krokiem podeszły do szafy. Jedna miała na sobie bardzo duże okulary i brązowy kostium. Nie taki plażowy, rzecz jasna. Tylko taki damski komplet, czyli spódnica i marynarka. W ręku trzymała plik z nutami. Druga pani, z pudełkiem guzików, igieł i nitek, także przerzuconym centymetrem krawieckim na szyi, była bardzo wysoka. Miała dziwną fryzurę, jakby przed chwilą zdjęła ciepłe lokówki i nie rozczesała włosów.

– Zobacz, Marysiu – wskazała na stroje – wspaniałe te prezenty, prawda?

– Tak – odpowiedziała pani w grubych okularach i żeby lepiej suknię obejrzeć, włożyła w nią swój nos – wspaniały materiał i bardzo oryginalne jedwabne hafty.

– Czy wiesz, że tylko dwójka naszych dzieci z zespołu może je założyć?

– Jak to?

– W tym kraju za wielkimi górami, skąd wróciły dzieci, wręczono je Danusi ze słowami, że stroje mają w sobie wielką tajemnicę. Wykonane zostały w sekretnej pracowni przez krawców, którzy mieszkają z dala od ludzi, w klasztorze ponad chmurami. W haftach i płaszcza, i sukni są zaklęcia...

– Wszyte zaklęcia? – zainteresowała się pani Marysia.

– Tak – przytaknęła pani z centymetrem na szyi – dzięki nim mają moc dobroci, uśmiechu i talentu; odnajdą wśród dzieci swoich właścicieli.

– Bajki jakieś! – prychnęła pani w brązowym kostiumie. – Nie wierzę w takie bzdury i tyle.

– Zatem zobaczymy – wzruszyła ramionami pierwsza pani – bierzemy stroje i idziemy do Danusi i dzieci na salę prób.

Malina i Naniko nie zastanawiały się nawet minuty. Natychmiast ruszyły za paniami, stąd bez trudu dotarły do wielkiej sali. Z dwóch stron okalały ją okna. Z trzeciej najprawdziwsza scena z czerwoną kurtyną. Jeden kąt sali ukryty był w cieniu, pod kolumnami. Tam siedziała większość dzieci. Tam też Malina dostrzegła mamę Tosię. Mama siedziała po turecku na drewnianej podłodze i coś pisała. Przy niej przykucnęła jakaś drobna dziewczynka. Gdy tej zakręciło się w nosie i kichnęła, mama Tosia natychmiast wyciągnęła bielusieńką chusteczkę higieniczną i wytarła małej nos. Po czym znów wróciła do pisania w jakimś pięknym zeszycie. Naprawdę coś z zapałem tam zapisywała. Malina delikatnie zerknęła przez ramię mamy i domyśliła się, że mama pisze... pamiętnik! Najprawdziwszy!

„To był najwspanialszy wyjazd w moim życiu – pisała mama. – Nigdy go nie zapomnę. Tak jak nigdy nie zapomnę tego cudownego kraju, który ma morze tak czarne jak atrament. I ludzi, którzy są zawsze uśmiechnięci. I góry tak wysokie, że ich wierzchołki kryją chmury. Także coś, czego wyjaśnić nie mogę, ale nosić będę w sercu. Kiedy odkryłam sekretne miejsce... Skąd je tak dobrze znam, skoro byłam tam po raz pierwszy? Na pewno jeszcze kiedyś tam wrócę".

Malina była zachwycona. Postanowiła, mimo palącej ciekawości, nie czytać maminych zwierzeń. Sama wiedziała, jak to jest.

mama
TOSIA

Mamie Tosi nie przeszkadzało w pisaniu to, że wokół był potworny gwar. Dzieci gadały jak najęte, jakby się przez całą podróż wygadać nie mogły. Szczególnie dziewczyny. Chłopaki ślizgali się po parkiecie sali w swoich czarnych baletkach jak na lodowisku. Który dalej. Z jednego do drugiego kąta sali. Najlepiej wychodziło to Mariuszowi i blondynkowi ładnemu jak aniołek, który miał na imię Darek. On też był pierwszym tancerzem w zespole. Stał zawsze w pierwszej parze. I w związku z tym strasznie zadzierał nosa.

– Darek – zaczepiła go Iwonka, która najczęściej właśnie z nim w tej parze stała i też w związku z tym zadzierała nosa – fryzura ci się popsuła.

Chłopiec natychmiast przerwał efektowny ślizg i się przeczesał. Widać było, że bardzo mu zależy, aby być ładnym jak aniołek.

– A ty lepiej idź i ręce umyj – odpowiedział jej nieprzyjemnie – albo w ogóle się umyj, bo w duecie nie będę z tobą tańczył. Ha, ha!

Iwonka prychnęła jak kotka i odwróciła się na pięcie. I poszła. W kierunku łazienki!

– Nie pozwól tak do siebie mówić – odezwał się do niej łagodnie Jacek. – Nie masz przecież brudnych rąk.

– A co cię to obchodzi – burknęła w jego stronę Iwonka. – Nie twój interes.

Był to jednak trochę Jacka interes. Bo Iwonka, mimo że nie była miła, bardzo mu się podobała. Miał też przeczucie, że dziewczynka tylko tak na pokaz jest najeżona na wszystko i wszystkich jak jeż jakiś kolczasty.

W tym momencie na salę wkroczyła pani Danusia w oto-
czeniu dwóch pań. Niosły w rękach wspaniałe biało-srebrne
stroje do nowego tańca, który jak i stroje został podarowany
przez nowych przyjaciół z dalekiego kraju.

– Cisza! – klasnęła w dłonie pani Danusia. – Zanim za-
czniemy trenować nowy układ taneczny, pora wybrać parę,
która wykona najważniejszą partię. Jak wiecie, jest to trudne zadanie. Wymagać będzie wielkiej pracy i poświęcenia.
A poza tym... poza tym... wiecie, w jakich okolicznościach
trafiły do nas te dwa stroje.

Tu pani Danusia wskazała na suknię i płaszcz trzymane
przez panią Marysię.

– Obiecałam, że trafią do odpowiednich dzieci. Utalen-
towanych. Pięknych, nawet nie urodą, ale duchem...

– Uuuu! – zawył nagle Mariusz. – Jestem duchem!
Dzieci zaczęły się śmiać.

– Duchem – pani z centymetrem wzięła go za ucho i po-
prowadziła do kąta – ale z jednym uchem.

– Dzieci, spokój! – mówiła dalej pani dyrektor. – Ci, którzy je uszyli, zastrzegli sobie wiele rzeczy... Jak widać, nie
interesuje was to. Zatem zobaczmy, co się stanie.

Cały zespół zapatrzył się w stroje, które pani Marysia
rozwiesiła na przygotowanych wcześniej manekinach. Bił
od nich taki blask, że dzieciaki zamilkły i wpatrywały się
w nie jak urzeczone. Każde marzyło, by to ono zostało
wybrane.

– To może nie traćmy czasu – śmiało odezwał się Darek.
– Iwonka, do mnie.

Dziewczynka jak na zawołanie stanęła przy chłopcu i wzięła się pod boki.

– Jesteśmy najlepsi w zespole – powiedział Darek. – Tańczymy wszystkie najważniejsze partie. Zatem zatańczymy i tę. Nie ma przecież w niej nic szczególnego.

Podszedł do srebrnego płaszcza, chcąc go założyć, i wtedy stało się coś nieoczekiwanego. Płaszcz odwrócił się od niego. Z całym manekinem. Szok! Gdy chłopiec ponownie chciał go dotknąć, ten jakby się naelektryzował i zaczął strzelać w jego stronę iskierkami.

Wśród dzieci powstało zamieszanie. Czyżby naprawdę stroje były zaklęte?

– A nie mówiłam? – szepnęła Naniko do zdumionej Maliny. – W moim kraju noszą je tylko wybrani.

– Ale, co to znaczy „wybrani", Naniko? – dopytywała Malina. – Co muszą zrobić?

– Nic nie muszą robić – odpowiedziała dziewczynka. – Muszą być po prostu dobrzy dla swoich koleżanek i kolegów. Dbać nie tylko o siebie, ale i o innych.

Tymczasem Iwonka też chciała założyć suknię, ale jej także się nie udało. Inne dzieci też próbowały, ale zawsze coś się zadziało. Pani Danusia stała z boku ze zmarszczonym czołem. Dołączył do niej pan w grubym wełnianym swetrze.

– Nie martw się, Danusiu – szepnął. – Na pewno znajdziemy odpowiednie dzieci. I dobre, i utalentowane.

– Widzisz, co się dzieje, Lesiu? – ubolewała zdenerwowana. – Mam mało czasu, a taniec trzeba przedstawić na festiwalu już za trzy tygodnie!

Malina kątem oka obserwowała mamę Tosię. Jej oczy tak błyszczały. Malina na tyle znała własną mamę, że wiedziała, iż mała Tosia też marzy: ma na sobie tę suknię i tańczy na wielkiej scenie w świetle ogromnych jupiterów.

I wtedy wszystko się stało. Suknia jakby ożyła. Naprawdę tak to wyglądało, bo była na manekinie. I ruszyła. Zrobiła krok do przodu, jakby kogoś w tłumie dzieci szukała. Nagle obrała kierunek i...

znalazła się przy... mamie Tosi! Gdy była już bardzo blisko, puste rękawy sukni serdecznie mamę objęły i przytuliły.

– Ooooo! – westchnęły dzieci.

– Ooooo! – zachłysnęła się z wrażenia pani Danusia, myśląc, jaki zadziwiający jest wybór tajemniczej sukni. Tosia przecież nigdy solówki nie tańczyła... Spojrzała teraz na dziewczynkę zupełnie nowymi oczami. – Dlaczego wcześniej Tosi nie dostrzegłam?!

Również płaszcz na manekinie znalazł swojego właściciela. Wybrał Jacka, który czerwony po same uszy stał, jakby go zamurowało. Był bardzo zawstydzony, ale i szczęśliwy. Iwonka też po raz pierwszy uśmiechnęła się do niego.

– Mamy zatem naszą nową parę solistów – ogłosił pan Lesio, a dzieci zaczęły bić brawo. – Oto Tosia i Jacek!

Malina i Naniko biły brawo tak mocno, że aż ich dłonie zrobiły się gorące. Tak jak i szmaragdełko, które radośnie mrugało. Malinie to aż łezki się pokazały, tak się ucieszyła, że mamine marzenie się spełniło. Dlaczego nigdy jej o tym nie opowiedziała? Nawet o tym, że prowadziła pamiętnik. A może ma go do dziś?

Pani Danusia poprosiła Tosię i Jacka do siebie.

– No, no, no! – powiedziała z uśmiechem. – Bardzo wam gratuluję. Czy pamiętacie, jak na wyjeździe, tam daleko w górach, pokazano nam magię tańca, który będziecie wykonywać?

– Pamiętamy. – Tosia i Jacek kiwnęli głowami. – Jest taki inny. Tańczy się go zupełnie inaczej niż nasze, polskie...

– Pani Marysiu – przerwała pani Danusia – czy możemy prosić o muzykę?

Pani Marysia nie usiadła tym razem do pianina, a ustawiła niewielką płaską czarną skrzyneczkę na scenie.

– To jakiś miniboombox? – zapytała Malina.

– Na pewno coś do odtwarzania muzyki – obserwowała scenę Naniko. – Lepiej zobacz, co ta pani ma w ręku. Plastikowe pudełeczko, z którego jeszcze coś wyjmuje...

– Tylko po co jej teraz ołówek?!

Tymczasem pani Danusia się niecierpliwiła.

– Pani Marysiu, niech pani włączy już ten magnetofon.

– Kasprzaka po prostu, pani Danusiu – skwapliwie podpowiedział Mariusz.

– Kasprzaka po prostu – potwierdziła pani Danusia – i nie musi pani tym ołówkiem przewijać taśmy na kasecie, bo muzyka jest na początku.

Pani Marysia nacisnęła jeden klawisz z góry tego czegoś, co nazywało się magnetofonem. Otworzyła się kieszonka, do której pani Marysia włożyła kasetę z taśmą. Zamknęła. Odczekała chwilkę i nacisnęła inny przycisk. Wtedy z głośnika popłynęła muzyka. Była tak inna od wszystkiego, co Malina słyszała. Zabrzmiały tam i bębenki, i jakiś flet, i akordeon... Coś jeszcze, czego nie mogła nazwać słowami. Gdy popatrzyła na Naniko, ta stała z rozpromienionymi oczami i zaciskała dłonie w piąstki z radości.

Scena, jaką oglądały, była naprawdę magiczna. Tajemnicze stroje bez pomocy ludzkich rąk znalazły się na Tosi i Jacku. Oboje wyglądali jak książę i księżniczka.

Pierwsze dźwięki muzyki należały do mamy Tosi. Malina widziała, jak mama przymyka lekko oczy, sprawiała wrażenie, jakby chciała się poddać melodii... A potem ruszyła. Tak miękko i bezszelestnie, jakby płynęła. Następnie uniosła dłonie w geście, jakby zbierała z gałązek kiście winogron... Było to tak piękne, że i Naniko, i Malina miały wrażenie, iż unoszą się nad sceną. Też fruną, też są w srebrnych sukienkach, a wokół nich kolorowe szkiełka... Jakie znowu szkiełka?!

Nie wiadomo, jak wskoczyły razem w kolorowy korytarz, który swoim niebieskozielonym światłem utworzyło nagle szmaragdełko. Teraz naprawdę mogły fruwać i fikać koziołki, ile wlezie. I stawać na głowie. Malina już chciała zaprezentować Naniko gwiazdę w stanie nieważkości. Ale niestety, nie zdążyła. Bo wszystko, co dobre, szybko się kończy i...

PLUM!

Wylądowały mięciutko prosto na łóżkach. Na szczęście były już w piżamach i mogły się od razu leniwie w cieplutkiej pościeli wyciągnąć i przeciągnąć jak dwa leniwce. W domu wszyscy już spali. Tylko w pokoju gościnnym wciąż migota-

ło w ich stronę zielone oko radia. Sprawdzało na pewno, czy szczęśliwie wróciły z dalekiej podróży.

– Super jest na twojej piżamówce, Malina – uśmiechnęła się już prawie przez sen Naniko. – To dopiero była przygoda.

– No... tak... – chciała jeszcze coś powiedzieć Malina, ale tylko ziewnęła, wtuliła swój piegowaty nosek w poduszkę i w sekundę zasnęła.

CHRRR, PŚŚŚ...

Jak wiecie, zawsze pod koniec rozdziału czeka na Was zagadka. Po jej rozwiązaniu można przejść do kolejnej części książki. Tym razem jednak muszę się Wam z czegoś **zwierzyć**. I nie ma to nic wspólnego ze **zwierzem**. Choć gdyby się tak głębiej zastanowić, to może trochę... Bo jestem po napisaniu tej części tak głodna, że zjadłabym konia z kopytami. Taka jestem głodna. Jak lew. Jeśli Wy też choć troszkę, to chodźcie ze mną do lodówki. W sensie zobaczyć, co tam jest dobrego. Na co macie ochotę? Jakaś sałatka? Żółty ser? Pomidor? Ha! Wiem, co byście zjedli! Bezę owocową! Zróbmy więc tak. Nawet jeśli jej nie ma w lodówce, to spiszcie sobie na jakiejś karteczce przepis na bezę mamy Tosi, która z kolei przepis dostała od cioci Ani. A jak pamiętacie, ciocia jest mistrzynią w pieczeniu ciast i przyrządzaniu smakołyków dla

127

małych basałyków. Zróbcie tę bezę w najbliższym wolnym czasie z kimś, kto też ją lubi. Zapewniam Was, choć chyba nie muszę, że ta beza owocowa jest bardzo, ale to bardzo smaczna. Kosmiczna i kosmonologiczna ☺

mniam!

PRZEPIS

BEZa ŚMIETankOWO- -OWOCOWa

6 białek

tyżeczka cukru waniliowego

tyżeczka cukru pudru

płaska tyżka mąki ziemniaczanej

dwie śmietany kremówki 30% (400 g)

tyżka soku z cytryny

serek mascarpone (250 g)

300 g cukru (drobne kryształki)

owoce

ubijamy mocno białka z 6 jajek. Wcześniej trzeba je bardzo dokładnie od jajkowych żółtek oddzielić. Pod koniec ubijania wsypujemy szczyptę soli. Potem, gdy białka są mocno ubite, dodajemy cukier, sok z cytryny i mąkę ziemniaczaną.

Teraz fajny moment. Na jednym papierze do pieczenia rysujemy koło. I na drugim papierze rysujemy koło. Możemy je odrysować od dużego talerza. I na tych kołach paciamy przygotowaną białkową masę.

Piekarnik nagrzewamy do 130°C. Gdy włożymy papier z bezą, zmniejszamy temperaturę do 120°C. Za to z termoobiegiem. I teraz najsłabszy moment. Czekamy bowiem prawie dwie godziny. Potem uchylamy piekarnik i patrzymy, co z naszą bezą, dopóki się kompletnie nie wysuszy.

Ubijamy śmietanę. Dodajemy serek mascarpone, cukier waniliowy i cukier puder. Ale słodkości. I mieszamy.

Gdy bezy będą zimne, to jedną posmarujcie słodkością. Ułóżcie na niej maliny, borówki, kiwi... Co tam lubicie najbardziej. I żeby nikt nie podjadał, przykryjcie drugą bezą. I gotowe ☺

ZADANIE!

A teraz, jeśli macie jeszcze do tego głowę, znajdźcie w tym rozdziale magiczne literki. Sztuk 14. Zapiszcie je w specjalnych kratkach znajdujących się pod koniec książki.

ROZDZIAŁ

o tym, jak różne mogą być jajka
i choć to nie bajka,
w naszej książce spada kurtyna.
Wtedy też przygoda z nitką jedwabną
się zaczyna

CHRR... PSSS...
CHRUM...

Takie dźwięki usłyszała mama Tosia, gdy weszła w sobotę rankiem do pokoju, w którym spały jak susły dziewczynki. Pochrapywały bardzo głośno, pogrążone w głębokim śnie.
Tak właśnie jak susły, które hibernują, czyli zapadają w sen

zimowy. Malina chrapała na górze, Naniko na dole. Spały bowiem na łóżku piętrowym. Mama Tosia zatrzymała się tuż przed zwisającą z górnego materaca bosą stopą córki. Stopa zadyndała tuż przed jej nosem. Z miejsca rozpoznała, kto jest jej właścicielem, bo, niestety, stopa jak zwykle nie była zbyt czysta.

– Och – westchnęła mama Tosia i splotła ręce w koszyczek. – I co ja mam z tym zrobić?!

Wymyśliła już chyba tysiąc sposobów, by zachęcić córkę do mycia nóg. Robiła naprawdę wszystko. Pamiętając, że dzieci lubią naśladować dorosłych, specjalnie każdego wieczoru ogłaszała głośno, że idzie myć nogi. Malinka machała jej jednak tylko na pożegnanie i wracała do zajęcia, które ją w danej chwili zajmowało, a które w ogóle nie miało nic wspólnego z toaletą. Przykładu więc z mamy nie brała. Tyle dobrego, że mama Tosia ma teraz najczystsze stopy w całym miasteczku. Wie o tym od pani pedikiurzystki, która wykonuje jej raz w miesiącu zabieg pielęgnujący na stopach. Mama wraca po nim do domu w doskonałym nastroju. Bo jak mówi: uwielbia gilgotki na śródstopiu.

Mama Tosia nie poddaje się w zaszczepianiu u córki potrzeby czystości. Ostatnio kupiła nawet Malinie książeczkę, w której na wielkich rysunkach i fotografiach pokazane jest, jakie bakterie kryją się na nieumytych rękach i nogach. Zdjęcia są bardzo dokładne, bo zrobione pod mikroskopem. Te zarazki wyglądają jak najprawdziwsze potwory! Obrazki te jednak zamiast zniechęcić do brudu, a zachęcić dziewczynkę do mycia, zadziałały wręcz odwrotnie. Malina chce

je teraz osobiście na swoich kończynach wyhodować. Uparła się na każdy rodzaj zarazka. Nawet specjalny zeszyt założyła i u taty pod mikroskopem w gabinecie codziennie stan rośnięcia potworków sprawdza. Na szczęście książeczka w którymś momencie w tajemniczych okolicznościach zniknęła. Z pomocą taty. I ku wielkiej uciesze mamy.

– Dziewczynki – delikatnie podeszła do wybudzania mama Tosia – pobudka, już po dziewiątej.

Gdy nie było żadnej odpowiedzi, pociągnęła za wystający spod kołdry duży paluch córki. Naniko miała szczęście, bo cała zawinięta była w pościeli. Mama Tosia nie miała jej więc za co chwycić. Naniko wyglądała, jakby była w najprawdziwszym kokonie.

CZY WIECIE...

Kokon nie ma nic wspólnego z głosem „ko, ko, ko" kury, tak jak z małym konikiem kokonik, który na pierwszej sylabie się zaciął, bo chce udawać kurę. Co to zatem jest ten kokon i jak wygląda? Na pewno jakiś kiedyś widzieliście. I to nie tylko na zdjęciu. Mógł to być na przykład becik dla niemowląt – każdy z nas spał przecież w takim zawijaku. Choć oczywiście może o tym ze zrozumiałych względów nie pamiętać... A może widzieliście taki kokon wstążkowy. Albo jako sposób wiązania firanki na oknie.

Najciekawsze są jednak kokony owadów. To taka specjalna powłoka, gdzie mogą sobie bezpiecznie dorastać. Weźmy takiego motyla. Zanim stanie się piękny i kolorowy, czy wiecie, jak wygląda? Nie za fajnie. Na początku jest mięciutką gąsienicą z wielkim otworem gębowym. Bo jeść coś musi. Nawet bardzo dużo. Przyszły motylek pożera ogromne ilości liści i łodyg. Jego łakomstwo jest usprawiedliwione. Zwyczajnie rośnie. Gdy już bardzo się naje, zamienia się w poczwarkę i chowa w kokonie. I tam właśnie dochodzi do wielkiego cudu. Tam między innymi tworzą się motyle skrzydła. Różnobarwne, w ślicznych kształtach... Niech Was zatem nie dziwi, jeżeli lubicie siedzieć w kokonie, nawet takim kołdrowym. A! Czy wiecie, jak nazywa się ktoś, kto lata z siatką po łące i łapie motyle? Jeśli jest przy zdrowych zmysłach i nie jest zwykłym łapaczem motyli, to prawdopodobnie jest to entomolog. Naukowiec badający owady. Zatem...

BAWIMY SIĘ w AMATORÓW ENTOMOLOGÓW

Według mnie do najpiękniejszych i najbardziej zadziwiających przemian należy przeistoczenie motyla Greta oto. Pochodzi z rodziny rusałkowatych, może stąd jest tak bajkowy. Choć nic na to nie wskazuje, gdy patrzymy na jego larwę. Ot, tłusty robaczek. Jednak gdy wykluwa się z kokonu, staje się niezwykły. Ma jakby szklane skrzydełka. Takie przezroczyste lustereczka. Koniecznie odnajdźcie go w jakimś atlasie motyli. Na pewno Was zachwyci.

A teraz, łącząc odpowiednio kropki na rysunku poniżej, zobaczycie, w jaki sposób poczwarka przepoczwarcza się w pięknego motyla. Proponuję czarną kredkę lub ołówek. Przepoczwarczonego motyla pokolorujcie potem jak największą liczbą kolorów kredek. Powinien być najbardziej barwnym motylem na kuli ziemskiej. Możecie też dokoła niego świat namalować. Na żółto i na niebiesko ☺

Malina pierwsza otworzyła oczy.

– Mamusia – wyszeptała, przeciągając się – dzień dobry, tak bardzo cię kocham!

I zeskoczyła prosto w ramiona mamy Tosi, przytulając ją serdecznie. Mama w sekundę zapomniała o całym świecie, tym bardziej o nieumytych stopach córki. Wycałowała za to każdy milimetr jej buźki. Od czubka głowy po brodę. Od ucha do ucha. Malina się śmiać zaczęła, bo było to bardzo miłe i łaskotało ach, ach.

– Aaaa, mamciu, nie całuj już, nie całuj – machała nogami i nadstawiała policzki do kolejnych całusów. Taki żarcik.

Śmiechy obudziły Naniko, która widząc scenkę pod tytułem „Mamciu, nie całuj", też śmiać się zaczęła.

– Malinka, chyba już buzi dziś myć nie musisz! – powiedziała.

– A właśnie – mama Tosia postawiła córkę na podłodze – proponuję bieg do łazienki. Przygotowałam dla was pyszne śniadanie. Z targu przyniosłam już świeże warzywa, z piekarni chrupiące bułeczki.

– Szkitki? – upewniała się, oblizując łakomie usta Malina.

– Nie szkitki, ale sznytki – uśmiechnęła się mama Tosia, poprawiając Malinę. – Tak, dokładnie. A swoje szkitki to mogłabyś wreszcie, Malinko, umyć.

– Czyli co? – zainteresowała się Malina.

– Nogi, bąblu, nogi – wskazała mama na stopy córki. – Z tego, co wiem, tak się na nogi w gwarze poznańskiej mówi.

Gdy mama Tosia wróciła do kuchni, Naniko spojrzała na Malinę.

– Jeśli szkitki to nogi, to co to są sznytki?

– Oj, jakoś mi się to wszystko myli – machnęła ręką Malina – a sznytki to takie pyszne bułeczki u nas w piekarni. Moje najulubieńsze. Mama powiedziała, że tak się w jednej części Polski mówi na kanapki. Sznytki.

– To w Polsce nie wszyscy mówią tak samo? – dopytywała Naniko.

Malina zastanowiła się nad pytaniem koleżanki. Rzeczywiście tak jest.

– Język polski jest jeden... Ale mamy gwary.

– Gwary? Co to jest?

– Mama albo tata powinni ci wytłumaczyć. To trochę skomplikowane. Jakby ci to wyjaśnić... Na przykład, kiedy byliśmy na zimowisku w górach, w Zakopanem, to ci górale, u których mieszkaliśmy, niby mówili po polsku, ale jakoś inaczej.

– Ale rozumiałaś ich?

– No jasne. Choć czasem słowa były zabawne i musiałam rodziców pytać, co oznaczają. Na przykład *pyrć*. Górska ścieżka, jak się okazuje. Pamiętam jeszcze słowo *watra*. Ognisko. I *dutki*. Pieniądze. Fajne słowo, prawda? Raz pani góralka powiedziała mi, żebym poszła do obory. Więc poszłam. Szukałam, szukałam, ale nie znalazłam. Wróciłam więc i zapytałam, gdzie się znajduje ta obora. Okazało się wtedy, że w tamtejszej gwarze *obora* to podwórko, a nie dom dla krów.

– O rany – zdziwiła się Naniko – naprawdę można się pomylić. Dużo jest takich słów, które w różnych częściach Polski oznaczają inne rzeczy?

– Nie wiem. Lubisz ziemniaki?

– Bardzo – odparła zaskoczona Naniko.

– To w Polsce zjesz nie tylko ziemniaki, ale i kartofle, grule i pyry. Oznaczają to samo. Głodna jestem.

– Ja też – skinęła Naniko – i to bardzo.

– Chodźmy szybko umyć zęby i do stołu. Kto pierwszy!

– Tylko szkitek sobie nie połam! – krzyknęła ze śmiechem Naniko.

I pobiegły na wyścigi do łazienki. Rudzielec zainteresowany zabawą również pobiegł za nimi. Gdyby umiał, też stanąłby przed lustrem i szorował swoje *kłozębiska*. (To słowo to już nie gwara, ale wymysł Maliny – przyp. aut.). Tymczasem mógł sobie po prostu pomerdać wesoło ogonem.

Dziewczynki były naprawdę bardzo głodne, bo w ciągu kilku minut już umyte i uczesane usiadły przy stole. Stały na nim cztery talerze. Mamy Tosi, taty Adasia, Maliny i specjalny dla gościa. Był porcelanowy z niebieskimi wzorami i ze śmiesznym kotkiem na środku.

To, że mama Tosia była już rankiem na targu, było oczywiste. Na stole nie brakowało soczystych pomidorów malinowych, zielonych ogórków i rzodkiewek od pana Ogrodnika. Także chrupiących bułeczek, pachnącej wędliny i kilku rodzajów sera. Mama Tosia tanecznym krokiem krzątała się po kuchni, wymyślając co rusz jakieś smakołyki. Dziewczynki patrzyły na nią pełne podziwu, pamiętając, w jak magiczny sposób zatańczyła sekretny taniec z kraju, z którego przyjechała Naniko. Malina postanowiła, że znajdzie jakiś powód, by z mamą Tosią o tym porozmawiać. Tak jak i z Naniko o jej magicznym Sanuri.

– Jak przygotować jajka dla moich śpiochów? – zapytała mama Tosia.

– A jakie tata chce? – odpowiedziała zadziornie Malina, bo tata Adaś nie wychynął jeszcze z sypialni.

– Malina! – skarciła z uśmiechem mama Tosia córkę – tata do późna w nocy pisał artykuł do „National Geographic". Pan Mądry się zasiedział i tak wyszło...

– Mój tata jest podróżnikiem – wyjaśniła Malina koleżance. – Pisze bardzo interesujące wypracowania do gazet o ciekawych miejscach na świecie.

– Felietony – poprawiła córkę mama Tosia – krótkie, zabawne i w punkt.

– A o czym teraz tata pisał?

– Wydaje mi się, że o Chinach – zastanowiła się chwilę mama. – Zaraz przyjdzie, to wam na pewno opowie.

W tym momencie, jak zwykle bez pukania, obładowana pakunkami, wkroczyła do mieszkania babcia Marzenka. Była przecież sobota, wracała z targu i jak zwykle miała po drodze, by ich odwiedzić.

– Znów macie otwarte drzwi! – zakrzyknęła od progu. – No przecież ktoś może sobie ot tak do domu wejść.

– Mama właśnie weszła. Niech mama dzwoni następnym razem – załamała ręce mama Tosia, widząc swoją mamę z mrowiem siatek – pomogłabym wnieść na górę. A poza tym drzwi możemy mieć otwarte, bo na dole jest jeszcze domofon do bramy, domofon do drzwi na klatkę schodową. A właśnie, jak je mama otworzyła?

– Normalnie – wzruszyła ramionami babcia Marzenka, mrugając okiem do Maliny i jej koleżanki – wstukałam **k**od.

– Czym?! – zdziwiła się mama Tosia. – Przecież mama ręki wolnej nie ma przez te zakupy!

– Czym, czym. Nosem! – ucieszyła się z żartu babcia Marzenka.

Naniko od razu poczuła sympatię do babci Marzenki. Widząc to, Malina nachyliła się do swojej koleżanki i wy-szeptała:

– Musisz poznać jeszcze moją prababcię Irenkę. Ma dziewięćdziesiąt dziewięć lat i jest naprawdę odlotowa.

– Ale czad – zachwyciła się Naniko. – Macie w domu naprawdę wesoło.

Tymczasem babcia Marzenka wyciągnęła z jednej torby trzy słoiki okręcone w ręczniki papierowe.

– Rosół wam przywiozłam – powiedziała uszczęśliwiona. – Bardzo smaczny wyszedł. A tu już macie ugotowany makaron.

Mama Tosia nie była zadowolona z tych tradycyjnych, bo w każdą sobotę przynoszonych, zupowych prezentów.

– Mamo, znowu? – westchnęła. – Tyle razy prosiłam... a gdybym chciała dziś przy sobocie ogórkową zrobić i zjeść?

– To jutro zrobisz i zjesz, też mi problem – babcia Marzenka była w temacie sobotniego rosołu bardzo uparta. Teraz proszę mi przedstawić nową koleżankę naszej Malinki.

– To jest Naniko, przyjechała z daleka, aż z gór Kaukazu i jesteśmy razem w klasie – jednym tchem wyrecytowała Malina.

– Pięknie! – klasnęła w ręce babcia. – Znam jedną anegdotę z twojego kraju, Naniko. Jakie jest u was najpopularniejsze imię męskie?

– Giorgi – odpowiedziała Naniko.

– Zatem Giorgi sprzedaje miód i zachwala go przechodniom. Że ten miód jest taki wspaniały, smaczny, zdrowy, słodki. A pszczoły, które go robią, są wielkie jak jego dłonie. Ogromne! Wtedy ktoś zapytał, jak zatem taka duża pszczoła włazi do małego ula. Jak włazi, jak włazi, obruszył się sprzedawca, napnie się i wlezie. A jak nie wlezie, to na polu śpi.

– Mamo – wzniosła oczy ku niebu mama Tosia, gdy tymczasem dziewczynki chichotały – skąd mama ma w głowie takie bzdury?

– Żadne bzdury, moje dziecko – babcia Marzenka tymczasem wyciągała dalej zakupy z siatek – po prostu życie jak w Madrycie! Naniko, lubisz pomidory?

– Jeść tak, ale w ogóle to nie cierpię – odpowiedziała wesoło Naniko i pokazała jednemu z nich język.

– Zuch dziewczyna – ucieszyła się z żartu babcia Marzenka. – Oj widzę, że się z Malinką zaprzyjaźnicie. A gdzie Adaś?

– Już idzie. Mama siądzie z nami do śniadania?

– To jeszcze nie jedliście?! Matko z córką i święta Barbórko! Ale z chęcią zjem. Dziś już drugie.

– Ponawiam zatem pytanie – zaczęła mama Tosia, dokładając piąty talerz na stół – kto jakie jajko sobie życzy?

– Na twardo.

– Na miękko.

– Na twardo-miękko.

– A ja jajecznicę proszę. – Tata Adaś bardzo zaspany pojawił się w kuchni.

– To mi ułatwiliście – zaśmiała się mama Tosia – bo ja sobie sadzone na boczku robię.

– Bardzo niezdrowo – podsumowała babcia Marzenka.

– Dzień dobry, dzieci. Dzień dobry, mamo – tata Adaś grzecznie się przywitał. – Mama już z rosołem przyszła? Która to godzina?

– Dziesiąta – wskazała na zegar babcia Marzenka. – Znów do późnej nocy pisałeś?

– Tak – kiwnął głową tata Adaś – o Chinach i jedwabnym szlaku, jeśli mama wie, o czym mówię.

Babcia Marzenka mimo woli poprawiła swoją ulubioną, pomalowaną w czerwone kwiaty jedwabną apaszkę, którą miała misternie zawiązaną wokół szyi.

– Ciekawy temat. I wiem o tym więcej, niż myślisz, Adasiu, jestem przecież mieszkanką Milanówka – uśmiechnęła się babcia Marzenka i zwróciła do Naniko: – Nie wiem, czy wiesz, kochanie, ale nasze miasteczko słynie z produkcji jedwabiu. Tu mieściła się jego pierwsza w Polsce fabryka, Milanówek nazywano stolicą jedwabiu.

– Naprawdę, babciu? – zdziwiła się Malina. – A dlaczego ja nic o tym nie wiem?

– Bo tak właśnie szkoła dba o twoją edukację, moje dziecko – żachnęła się babcia – nie douczy, przeinaczy, często przekręci...

– Mamo, proszę – przerwała babci Marzence mama Tosia, wiedząc, że babcia nie ma najlepszego zdania o systemie nauczania dzieci i może mieć chęć na mały wykład.

– Ach, szkoda gadać – ciągnęła dalej wypowiedź babcia Marzenka. – Na szczęście są jeszcze babcie, które wszystko opowiedzą. Prababcia Irenka to podobno znała założyciela milanowskiej fabryki jedwabiu, pana Henryka... I jego siostrę Stasię, a nawet samego...

– Czy ta apaszka, którą ma pani na szyi, jest z jedwabiu? – zapytała Naniko.

– Tak, to bardzo stara rzecz. – Babcia Marzenka pogładziła lśniący materiał. – Dostałam ją w prezencie od mojej mamy właśnie. Z tego, co wiem, Malinko, również twój kamyczek szmaragdowy jest na jedwabnej wstążce. Prababcia Irenka odcięła twój, jak i mój kawałek materiału ze swojej apaszki.

– Raczej jakiegoś szala – weszła babci Marzence w słowo mama Tosia – bo ja też taką jedwabną apaszkę dostałam. W czerwone kwiaty.

Malina postanowiła szybko zmienić temat, by o szmaragdełku i jego jedwabnej wstążeczce nie rozmawiać tak otwarcie. I to przy śniadaniu. Wszyscy bowiem do stołu już zasiedli.

– Babciu, babcia opowie trochę, jak to było z tym jedwabiem w Milanówku. Czy są jeszcze jakieś ślady po tej fabryce?

– Oczywiście, Malinko – babcia Marzenka nalała sobie cytrynową lemoniadę – możecie zorganizować szkolną wycieczkę jedwabnym szlakiem Milanówka. Tak się składa, że mam nawet mapę.

– Mapę?! – zdziwili się jednocześnie rodzice Maliny. – Na targ ją mama wzięła?!

– Nigdy nie wiadomo, co się może człowiekowi przydać. Kto ze sobą nosi, ten się nie prosi.

I babcia Marzenka mapę na stole rozłożyła. Zmieściła się ta mapa dokładnie między sałatką z pomidorów a cukiernicą. Wszyscy z wielkim zainteresowaniem się nad nią pochylili.

– Zobaczcie – babcia Marzenka pokazała palcem punkt na mapie – Centralna Doświadczalna Stacja Jedwabnicza mieściła się przy ulicy Brzozowej...

– Tam, gdzie dziś jest gimnazjum! – ucieszyła się Malina. – I gdzie Franek za godzinę mecz grać będzie! Pójdziemy zatem zobaczyć, dobrze, Naniko?

Naniko aż pisnęła z zachwytu.

– A pamiętacie taki stary dom z wieżyczką przy ulicy Piasta pod trzynastym? – ciągnęła opowieść babcia Marzenka. – To pierwsza siedziba stacji, w której pracował pan Henryk ze swoją siostrą Stasią. Tu przeprowadzano pierwsze doświadczenia, by stworzyć jedwabną nić...

– Naprawdę?! – Malina nie mogła już usiedzieć w miejscu. – Pamiętam ten dom, jest na sprzedaż... Stoi od lat pusty... Mijam go zawsze, gdy idę do szkoły.

– To słynna willa „Józefina" – podpowiedziała babcia Marzenka. – Tam były, niestety z jakichś powodów do naszych czasów nie przetrwały, pierwsze jedwabne cuda stworzone przez genialne rodzeństwo: Henia i Stasię. Moglibyśmy dziś obejrzeć barwne błyszczące jedwabną nicią tafty, także płótno do produkcji najprawdziwszych spadochronów... Widać zawieruszyły się w czasie. Dziś podczas Dni Mila- nówka będzie w „Józefinie" potańcówka, na którą mam

nadzieję, że się wybierzecie. A pamiętacie, że dziś się prze-
bieramy? Obowiązkowo wszyscy mieszkańcy miasteczka
chodzą w strojach sprzed stu lat. Widziałam już na mieście
dorożki, stare gramofony, lampiony...

– Będzie pięknie – powiedziała mama Tosia. – Pochwalę
się, że pamiętałam i zrobiłam wam niespodziankę. Przywiozłam dla nas wszystkich stroje z teatru.

– Brawo! – ucieszyła się babcia Marzenka. – Nareszcie
wyjdziecie z domu i się trochę rozerwiecie. Ile można pra-
cować? Dzieci też idą, rzecz jasna!

– Jasne, babciu, że idziemy. A co oznacza na mapce to
drzewko?

– To morwa, Malinko – babcia Marzenka w temacie roślin
czuła się jak ryba w wodzie – to rodzaj niewielkich drzew.
Liście morwy to jedyny pokarm dla jedwabników, z ich ko-
konów uzyskuje się jedwab.

– Ach – zachwyciła się Malina – i te drzewa rosną w Milanówku?

– Tak, kochanie – ucieszyła się babcia Marzenka z entu-
zjazmu wnuczki – możesz je sobie obejrzeć. Powiem wam

jeszcze, że liście morwy są doskonałe w produkcji środków wspomagających odchudzanie... – tu babcia Marzenka wymownie spojrzała na tatę Adasia, który dokładał sobie właśnie z patelni duży kawałek kiełbaski w cebulce. Pałaszował ją potem, śmiało patrząc babci Marzence w oczy.

– Chce mama kawałek?

– Dziękuję – odpowiedziała lekko zdumiona propozycją babcia Marzenka – kuszące, ale nie skorzystam.

– A ten dom? – Malina wskazała inny punkt na mapie. – To niedaleko od nas.

– A to jest willa Emanów – po chwili zastanowienia powiedziała babcia – to tam zawitał prezydent Rzeczypospolitej Ignacy Mościcki. Pamięta te czasy na pewno prababcia Irenka. Opowiadała mi o tym. Sama miała wtedy dwanaście lat... Pamięta je też ten jedwabny szal w kwiaty, który pocięła potem dla nas na kawałki. W willi Emanów zorganizowano tego dnia uroczyste śniadanie dla prezydenta. Prababcia Irenka wspomniała, że odbyło się z jakichś powodów późno, bo około godziny trzynastej.

– Widzi mama – wtrącił z uśmiechem tata Adaś – można jeść pierwszy posiłek o pierwszej! I robi to sam prezydent!

– Prezydent nie prezydent. Dla mnie to nie do pomyślenia, można mieć potem ból brzucha – zmarszczyła brew babcia Marzenka. – Powinni to zamiast śniadaniem nazwać wczesnym obiadem i tyle.

– To wszystko jest tak niezwykłe – rozmarzyła się Malina. – Zastanawia mnie jedna sprawa, babciu, i przepraszam, że ja o tym przy śniadaniu. Ale jak już te gąsienice jedwab-

niki najadły się tych liści i łodyg
i schowały w kokon, to skąd
wzięły się te jedwabne nitki?

– Znaleziska archeologiczne
wskazują na to – wtrącił się tata
Adaś – że jedwab wytwarzano już
w starożytnych Chinach, jakieś
trzy tysiące lat przed naszą erą.
Pisałem dziś w nocy o tym w felieto-
nie. A z nitką jedwabną wiąże się piękna legenda. O chińskiej
cesarzowej, która miała niezwykły ogród, po którym lubiła
się przechadzać. Pewnego razu na drzewku morwowym
zobaczyła białe larwy. Niszczyły liście drzewka i przędły
wokół siebie lśniące kokony. Gdy wzięła jeden do ręki, wy-
ślizgnął jej się i wpadł do wrzącej wody; prawdopodobnie
przygotowanej do zaparzenia aromatycznej chińskiej her-
baty. Gdy kokon z wrzątku wyłowiono, cesarzowa zauważyła, że można z niego odłączyć delikatną niteczkę. Pociągnęła ją, a ona nie miała końca. Nawijała ją więc i nawijała.
Aż utworzyła się szpulka nici. Tak według tej opowieści
odkryto tajemnicę sztuki wytwarzania jedwabiu. Chińczy-
cy strzegli jej bardzo długo, bo prawie dwa tysiące lat.

– Ale i tak jedwab trafił do Milanówka – ucieszyła się
Malina, ale za chwilę spoważniała. – No właśnie, ale jak
trafił, tato, jak?

W tym momencie tata Adaś mrugnął okiem do Naniko.

– Chyba twoja nowa koleżanka powinna ci o tym powiedzieć – zaczął bardzo tajemniczo – ponieważ ten jedwab

w Milanówku pojawił się z kraju, z którego Naniko do nas przyjechała. A nawet miasta!

Naniko otworzyła szeroko oczy ze zdumienia.

– Jak to z mojego kraju? Z Gruzji?

– Tak – potwierdził tata Adaś. – Z tego, co wiem, pan Henryk, założyciel stacji jedwabniczej, swoją wiedzę przywiózł z twojego kraju. Uczył się tam i pracował w Tbilisi.

– To stolica Gruzji – rozpromieniła się Naniko – tam się też urodziłam.

– O rany, ale numer – pokręciła z podziwem swoją spuszoną czupryną Malina – nasze tak odległe dwa miasta łączy taka piękna historia.

– Polecam wam, dziewczyny, odwiedzenie wirtualnego muzeum jedwabiu – dodał tata Adaś.

– Wirtualnego? – zainteresowała się Malina.

– Można po nim wędrować w dzień i w nocy, gdziekolwiek się jest. Wystarczy wejść na stronę www.muzeumjedwabnictwa.pl

– Fajnie, to mogę pożyczyć, tato, twój kompu…

Nie zdążyła jednak skończyć, bo w drzwiach stanął Franek.

– Dzień dobry wszystkim – powiedział grzecznie. – Malina, idziesz?

– Dzień dobry, Franku – przywitała chłopca mama Tosia. – Jak tu wszedłeś?

– Drzwiami, ciociu – w tej formie Franek zwracał się do mamy Tosi – otwarte były.

– A nie mówiłam! – babcia Marzenka była bardzo zadowolona. – Zamykać trzeba, zamykać!

– Tylko nie przed Frankiem, babciu – roześmiała się Malina.

– Franku, zjedz coś jeszcze przed meczem – zaprosiła do stołu mama Tosia, stawiając szósty talerz.

– Chętnie, ciociu.

– A co to za mecz, Franku? – zainteresował się tata Adaś.

– Towarzyski, ale walczyć będziemy jak lwy – dziarsko odparł Franek, przypatrując się czarnowłosej dziewczynce siedzącej przy stole, którą widział po raz pierwszy.

– To Naniko, moja nowa koleżanka – pospieszyła z wyjaśnieniem Malina.

– Cześć, jestem Franek – elegancko, podchodząc do Naniko i podając jej rękę, przedstawił się chłopiec. – Pójdziesz na mecz? Stoję na bramce. Nie będzie nudno, zapowiadają się też jakieś dziewczyńskie pokazy taneczne.

– Dziękuję za zaproszenie, oczywiście pójdziemy z Maliną – odpowiedziała Naniko dziwnie speszona.

– Przebierzesz się potem z nami w stroje wypożyczone z teatru? – zaproponowała Frankowi Malina. – Mama przyniosła aż cztery torby i wystarczy dla wszystkich.

– Okej. Mogę zapytać, z jakiej to okazji?

– Dziś jest dzień, na który czekają wszyscy mieszkańcy Milanówka – powiedziała babcia Marzenka. – Tradycją jest, że w pierwszą sobotę września nasze miasteczko przenosi się w czasie...

Franek spojrzał zdziwiony [i] trochę zaniepokojony na Malinę. Czyżby się wygadała o szmaragdełku i ich ostatniej podróży, gdy ratowali serce Chopina? Malina jednak delikatnie przecząco pokręciła głową i przytknęła palec do ust:

PSYT!

– Przeniesiemy się do początku ubiegłego wieku – zakończyła uroczyście babcia Marzenka.

– Franku, jak ci jajko przygotować? – mama Tosia była niezmordowana w organizacji śniadania. – Mamy jajka na boczku sadzone, w skorupce na twardo, na miękko, na twardo--miękko, mamy też jajecznicę. Już chyba nic więcej nie wymyślono...

– Świetnie, ciociu, a mogę kogel-mogel?

Gdybyśmy znajdowali się w teatrze, w tym momencie powinna opaść kurtyna. Natychmiast! Ale my i tak wszystko możemy w naszej książce, prawda? Zatem...

DZIABACH!

KURTYNA (opadła)

BAWIMY SIĘ w KOLOROWANIE KURTYNY
Mama Tosia przywiozła z teatru, w którym pracuje, kostiumy teatralne dla całej rodziny. Specjalnie na Dni Milanówka. Teraz, gdy wszyscy po śniadaniu się w nie przebierają, my pokolorujmy obrazek na następnej stronie. Przedstawia kurtynę, która przed chwilą w książce dziabach! opadła. Także scenę, na której zazwyczaj aktorzy grają spektakl. Ciekawa jestem, na jakim przedstawieniu byliście ostatnio w teatrze? Może pamiętacie postać, która Wam się najbardziej podobała... Jeśli tak, narysujcie ją na scenie. A obok siebie. Tak na pamiątkę. To lepsze niż selfie ☺

BAWIMY SIĘ!

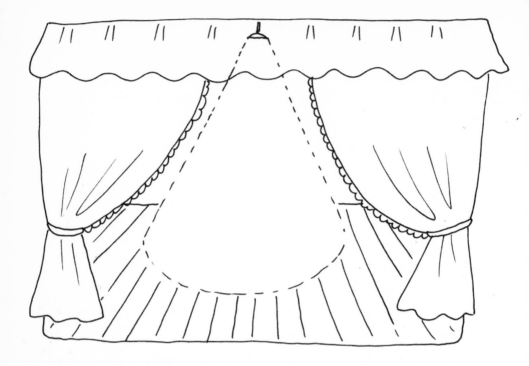

Gdy po śniadaniu i już w przebraniach Malina, Naniko i Franek wyszli na miasto, nie mogli uwierzyć własnym oczom. Mieszkańcy Milanówka mieli świetne poczucie humoru i dużo zapału do zabawy. Całe miasteczko zmieniło się bowiem nie do poznania. Calusieńkie. I nie miało to nic wspólnego z miastem Poznań ani niczym, co przemieszczało się w jego kierunku.

Na drzewach wisiały różnokolorowe lampiony. Okna sklepowe zmieniły wystrój i wyglądały jak z dawnych lat. Nawet bank w budynku na rogu ulicy przeobraził się w kawiarnię, tak jak to było sto lat temu. Co najbardziej zdziwiło naszych bohaterów, to totalny brak samochodów na ulicy. Po prostu jakby ich w ogóle nie było. Ani na drodze, ani na parkingach. Widać wszyscy właściciele aut posłusznie i według zaleceń pani burmistrz pochowali je w garażach. Roiło się teraz na ulicy od rowerów, od czasu do czasu przejechała dorożka. Na torach kolejki WKD stał też drewniany wagonik.

– Ale jest czarodziejsko – zachwyciła się Naniko, co rusz poprawiając śmieszny różowy kapelusik z piórkiem, który bez opamiętania zjeżdżał jej na czoło.

– A nie mówiłam ci, jak fajnie tu mieszkać? – ucieszyła się Malina. – Polubisz to miejsce, obi e cuję ci.

– Malina ma rację – przytaknął Franek – polubisz. Ale tylko wtedy, jeśli chodzisz spać z kurami.

– Spać z kurami? – zdziwiła się Naniko. – Nie, ja nie chodzę spać z kurami. Mam swój pokój w domu.

– Naniko, tak się mówi – wytłumaczyła szybko Malina – gdy ktoś idzie bardzo wcześnie spać.

– A o której te kury chodzą? – dopytywała się Naniko.

– Które te? – zapytał Franek z bardzo poważną miną. – Bo jeśli nioski, to gdy zapada zmierzch, czyli około osiemnastej, a jeśli...

– Nioski?!

– Franek, błagam, nie marnuj swojej bezcennej energii przed meczem na durne wygłupy – westchnęła M alina – a ja muszę cię, Naniko, przedstawić Gabrysi. Mam wrażenie, że się szybko zaprzyjaźnicie.

– Dlaczego?

– Bo też wciąż o wszystko pyta. A aa, zobacz, nasze dwie miejscowe paniusie, pani Elżbieta i pani Honorata – zmieniła temat Malina i wskazała na ławkę stojącą przy poczcie – też się przebrały! No, nie wytrzymam. Tylko co one założyły na siebie, że są dwa razy większe? Jakieś megahalki chyba.

– Coś mają w ręku – przypatrywał się z daleka Franek. – Lornetki?

– Aha – przytaknęła Malina – kiedyś widziałam coś takiego w teatrze. Superwidoczność, nawet z najdalszych rzędów. Teraz więc już nic nie przeoczą. Bo musisz wiedzieć, Naniko, że te panie są lepsze niż monitoring w mieście. Wiedzą wszystko! Jedną rzecz to sama chciałabym wiedzieć. Dlaczego one ciągle siedzą pod tym parasolem z napisem KATAR.

– Widzisz, też pytasz: dlaczego. A dlaczego jest tam napis KATAR? – zainteresowała się Naniko.

– Hm. Mam pomysł!!! – klasnęła w dłonie Malina. – Sama je spytaj! Z chęcią się dowiem. A ty, Franek? Może ty spytasz?

– Malina, wariatko – śmiał się Franek – ty lepiej uważaj, żebyś się w tej swojej sukience nie wywaliła.

Rzeczywiście. Sukienka Maliny była trochę za długa i Malina co chwilę przydeptywała kawałek materiału, tracąc równowagę. Roz-śmieszało to oczywiście jeszcze bardziej naszych przyjaciół. I tak w szampańskich nastrojach cała trójka dotarła na boisko szkolne przy ulicy Brzozowej. Franek posadził dziewczyny na ławce i błyskawicznie zniknął w poszukiwaniu przebieralni. Nie miał co prawda powodu, żeby się wstydzić, gdyż wszyscy zawodnicy i kibice przychodzili na turniej w strojach dziwnych i niecodziennych. Jeden chłopiec to przyjechał nawet na takim dziwnym rowerze, który miał olbrzymie koło z przodu, a maleńkie z tyłu.

– Jak on się tam wdrapuje na to siodełko – kombinowała Malina. – To musi być strasznie niewygodne.

Trybuny wokół boiska powoli się wypełniały. Kolorowy tłum falował wśród wesołego gwaru. Malina z Naniko zainteresowane były jednak tym, co znajduje się tuż za obiektem sportowym. Z miejsca, gdzie siedziały, widać było bowiem śliczną alejkę, przy której rosły niewielkie drzewka.

– To są te słynne morwy – Malina potrząsnęła Naniko mocno za rękaw. I to tak, że różowy kapelusik z piórkiem znów spadł Naniko na oczy.

– Jak tak będziesz mną trząść, to nic nie zobaczę – roze-śmiała się Naniko, odsłaniając oczy. – Aha, widzę! Zatem tam, w budynku obok musiała się znajdować stacja jedwabnicza!

– No właśnie! Idziemy zobaczyć?

Ale nie zdążyły, ponieważ pan sędzia, czyli pan listonosz gwizdkiem rozpoczął mecz. Postanowiły więc zobaczyć stację doświadczalną dopiero po rozgrywce. W tym momencie

Malina dostrzegła na boisku swojego kolegę ze szkoły, Łukasza Milskiego. Grał w drużynie przeciwnej. To znaczy nie w tej, której kibicowały, czyli nie w zespole Franka.

– Zatem to z Łukaszem zmierzy się Franek – zagryzła usta i spojrzała w kierunku jednej z bramek, na której jej przyjaciel stał już w pełnej gotowości. Minę miał jak najprawdziwszy golkiper. Niczym Jerzy Dudek!

Rozpoczęła się walka o piłkę. Przelatywała ona od lewego do prawego skrzydła, o czym informował przez megafon komentator spotkania. A raczej komentatorka. Bo była nią dziś dyrektor szkoły – pani Marcelina Piorun-Hyży. Jak się okazało, prywatnie wielka pasjonatka futbolu. Tego, w jaki sposób opisywała to, co się dzieje na boisku, nie powstydziłby się sam Dariusz S zpakowski.

– Drodzy widzowie! – krzyczała właśnie do mikrofonu – do końca meczu została godzina, czyli około sześćdziesięciu minut.

Po tych słowach wszyscy na trybunach mimo woli odwrócili wzrok od grających, spojrzeli na panią Marcelinę, a potem na osobiste zegarki, jakby coś było z nimi nie tak. W każdym razie coś się nie zgadzało. Ale nie było czasu na zastanowienie, bo piłka już poszybowała w kierunku bramki Franka.

– Aaach! – westchnął tłum na trybunach.

– Aaach! – dołączyła komentatorka pani dyrektor Marcelina Piorun-Hyży – i mamy pierwsze niecelne trafienie.

Widzowie znów odwrócili głowy w kierunku pani dyrektor, a dowcipny pan listonosz, który był sędzią, pomachał

jej z boiska żółtą kopertą jak kartką. Niby się wachlował
z gorąca.

Ha, Ha, Ha, Ha!

Roześmiali się rubasznie kibice. Pani Marcelina Piorun-
-Hyży nie przejęła się tym zbytnio. Groźnie tylko z daleka
pogroziła im palcem lewej ręki, bo jak pamiętacie, w prawej
trzymała megafon, i jednym słowem zaczynającym się na li-
terę „c" odesłała wszystkich do oglądania meczu. Oj, w utrzy-
maniu porządku nie miała sobie równych. I tak mecz na boisku
został wznowiony w kompletnej ciszy. Na szczęście ta cisza
nie trwała długo.

Malina z Naniko kibicowały, najgłośniej jak umiały. Skaka-
ły do góry, robiły falę, w czym nie przeszkadzały im nawet
mało wygodne stroje z dawnej epoki, w które, jak wiecie, były
ubrane.

W pewnym momencie Malinę coś zaniepokoiło.

Dziwne, pomyślała, siedzimy w cieniu, a czuję, jakby mnie
słońce przypalało. Dotknęła wstążeczki na szyi, na której wisiało szmaragdełko. Kiedy lekko pociągnęła wstążkę w górę,
ciepełko przesunęło się bliżej jej buzi. Pociągnęła więc wstążecz-
kę mocniej i wyciągnęła spod sukienki szmaragdełko. I oniemiała. Jego magiczne szkiełko świeciło niepokojącym blaskiem,
takim, którym zawsze dawało znak do zbliżającej się podróży
w czasie. Malina szturchnęła delikatnie Naniko, która była
absolutnie pochłonięta meczem i wspaniałą grą Franka. Obro-
nił już trzy bramki i był bohaterem dla swojej drużyny.

– Naniko – szepnęła do ucha koleżanki – coś się święci.

– Daj spokój – z rumieńcem na policzkach odpowiedziała Naniko. – Franek obroni każdą bramkę, zobaczysz, że jego team wygra.

Malina nie była tego taka pewna, ponieważ w drużynie przeciwnej w ataku grał Łukasz Milski. Ten Łukasz Milski, fan FC Barcelona, najlepszy sportowiec w szkole. Ale nie to ją teraz zajmowało.

– Naniko – nie poddawała się Malina – spójrz na moje szmaragdełko!

Naniko odwróciła się i aż oślepił ją blask szkiełka.

– Jest bardzo zielononiebieskie! I świeci! Czy to znaczy...

– Tak! W dodatku jest coraz bardziej gorące. Musimy być czujne...

I zaczęły się rozglądać dokoła. W tym momencie na boisku ruszyła akcja. Łukasz Milski w pięknym stylu przyjął piłkę, zgubił obrońców i rozpoczął rajd na bramkę, w której stał Franek. Wszyscy spojrzeli w jego stronę, ale tylko dziewczynki dostrzegły to COŚ. Za bramką Franka, u wejścia do alejki z drzewkami morwowymi, nagle się zakotłowało, błysło i świsło. I jakby z obłoku mgły wyłoniła się tamże dziwna ciemna postać. Wyglądała trochę jak cień, dlatego nikt z kibiców nie zwrócił na nią uwagi, myśląc, że to odbicie zarysu drzewa morwy. Trwało to może ułamek sekundy, tak jakby postać pojawiła się, z dziwiła, gdzie dotarła, i ZNIKŁA!

Rzeczywiście znikła, ale Malina zbladła. Wiedziała doskonale, kogo właśnie zobaczyła.

– Naniko! To był straszny pan Drążek! Ten, który chciał sobie przywłaszczyć plany samolotu „Kogutek". I ukraść serce Chopina!

– Pan Drążek?! – przestraszyła się Naniko, która pana Drążka i jego haczykowaty nos znała z mrożących krew w żyłach opowieści Maliny.

– Chodź, szybko! – pociągnęła koleżankę za sobą. – Dzieje się coś niedobrego, korytarz czasu jest jeszcze otwarty, musimy zdążyć, szmaragdełko wciąż daje sygnał.

– Ale gdzie mamy biec? – dopytywała się Naniko, ciągnięta przez Malinę w stronę bramki Franka. – O rany, to ostatnie minuty pierwszej połowy meczu… nie będziemy znały wyniku.

– Przestań, biegniemy teraz jak najszybciej do alejki morwowej – ciężko dyszała Malina.

To, co się w tym momencie wydarzyło, jest trudne do opisania. Ale spróbuję. Dziewczynki dobiegały już do alejki morwowej, gdy Łukasz Milski oddał piękny strzał w stronę bramki Franka. Franek błyskawicznie odbił się jak kangur i poleciał w kierunku piłki. Nie wiedział, że za nim jest wciąż otwarty przez pana Drążka korytarz czasu. I tracąc kontakt z murawą boiska, wpadł prosto w jego czeluść! Plecami! Razem z piłką! A za nim kolejno Malina, Naniko i... Łukasz, który nie zdążył przed bramką wyhamować.

HYC!

Korytarz zamknął się dokładnie w tej właśnie sekundzie. A nasza wesoła gromada z piłką zaczęła fruwać

w kolorowej przestrzeni wśród migoczących szkiełek szmaragdełek. Najbardziej zdziwiony sytuacją był Łukasz. W końcu nie ma się co dziwić, pierwszy raz brał udział w podróży w czasie. Widząc jednak, z jaką frajdą reszta dzieci wykonuje przeróżne fikołki, też zaczął je fikać. Koziołkując, machali do siebie, przeskakiwali, przybijali piątki. Trochę jak kosmonauci w przestrzeni kosmicznej, gdzie, jak wiecie, nie działa grawitacja. Chłopcy bardzo śmiali się z dziewczyn. Ich długie sukienki pod wpływem lotu wyglądały jak spadochrony. Tyle że były na dole, pod dziewczynkami, a nie nad nimi. Zatem absolutnie nieprzydatne. Ale śmieszne, że o jej.

– Nie wiem, co tu się dzieje! – wołał Łukasz – chociaż jest super. Trochę jak w nowej grze komputerowej, nad którą z bratem pracujemy.

– To prawdziwa gra, Łukaszu! – odkrzyknęła Malina, a jej głos dźwięcznie odbijał się w szmaragdełkach niczym dzwoneczek. – Podróżujemy w czasie, potem ci wszystko wytłumaczę, bo na razie sama nie wiem, gdzie wylądujemy. Ścigamy niebezpiecznego typka, który chce narozrabiać. W każdym razie nic się nie bój, trzymamy się razem!

– Typka? Ale ja się niczego nie boję – spokojnie i z uśmiechem powiedział chłopiec i łobuzersko puścił oko do Maliny.

Malina chciała jeszcze coś dodać. Zapytać o lwy i pająki, których sama bardzo się bała. Gdy nagle korytarz świetlny skończył się i...

PLUM!

dzieci wylądowały na zielonej trawie. Tak szybko i gwałtownie, że Łukasz ledwo zdążył piłkę złapać. A spadłaby dokładnie na czubek głowy Maliny, która bezskutecznie starała się teraz wyplątać z długiej po kostki sukienki. Tuż obok niej Naniko na czworakach szukała swojego różowego kapelusika z piórkiem. Franek natomiast rozcierał obolały łokieć.

– Proszę natychmiast zejść z trawnika! – zakrzyknął tuż nad nimi pan z sumiastymi wąsami i miotłą w dłoni, i to tak głośno, że dzieciaki aż podskoczyły. – Ale wstyd! Już mi stąd!

CZY WIECIE...

Na pewno zastanawiacie się teraz, co to są sumiaste wąsy i czy mają coś wspólnego z sumem. Taką rybą. Bo ona rzeczywiście ma takie długie kłaczki przy otworze gębowym. Mhm. Chyba nie byłaby zadowolona, gdyby to teraz przeczytała. Jest na pewno ze swoich wąsów bardzo dumna i coś by nam powiedziała do słuchu, i to tak, że poszłoby nam w pięty. Ale nie martwmy się. Nie powie. Jak to ryba. Nabiera wody w usta i ani mru-mru. A raczej bul, bul, bo siedzi w wodzie. Pokażę Wam zatem, jak wygląda sumiasty wąs u panów:

Tak? NIE!

O! TAK!

Jest bujny, rozrośnięty i krzaczasty. Normalnie las. I to iglasty! ☺

My tu o wąsach groźnego
pana z miotłą, a nasi bohatero-
wie naprawdę się przestraszyli.
I poderwali z trawy, jakby coś
ich ugryzło. Malina bardzo się
zdziwiła. Przecież dotychczas po
przeniesieniu w inne czasy było
się totalnie niewidzialnym dla
innych. Za chwilę wszystko się
jednak wyjaśniło. Na środku
trawnika, na którym przed chwilą wylądowali, siedział też mały
piesek i bezczelnie wpatrywał
się swoimi wypukłymi ślepiami
w pana z sumiastymi wąsami.
Ten prawdopodobnie pilnował
tu porządku, o czym świadczyła
jego miotła, będąca istną ko-
pią jego wąsów. Jak już wiecie,
nastroszonych i krzaczastych.
Piesek wpatrywał się w pana,
potem jak gdyby nigdy nic, lekko
podnosił łapkę do góry, jakby
chciał już za chwileczkę, już za
momencik zrobić siusiu. Lecz kiedy pan zaczynał krzyczeć, piesek
szybko łapkę opuszczał i znów
siedział i patrzył. Trwałoby to

WĄSY
SUMIASTE

WĄSY
KRZACZASTE

pewnie bez końca, gdyby nagle do pieska nie podbiegła chuda jak patyk paniusia z szaliczkiem szczelnie zawiązanym wokół szyi i zapiszczała cieniutkim głosikiem:

– Pimpuś, maleństwo, a gdzie to tak bez pańci się biega, pańcia nu, nu, nu mówi.

Piesek, o dziwo, nie za bardzo chciał z pańcią pójść. Wyrywał się, po d gryzał, ogólnie był dość zdziwiony. Ta wzięła go jednak ochoczo pod pachę.

ŚLIZURMP

I w nogi. Aż jej się o mały włos sprawunki z koszyczka nie rozsypały. A byłoby co zbierać. Dziewczynki nawet z tej odległości widziały jabłka, ziemniaki, zielone ogórki. Pan z miotłą na ten widok wzruszył tylko ramionami i szarpnął wąsa z prawej strony. Malina, Naniko, Łukasz i Franek roześmiali się, przez chwilę zapominając, co ich tu sprowadziło. A raczej kto. Pierwsza oprzytomniała Malina.

– Aaaa! Gdzie jest pan Drążek? Przecież musimy go śledzić! Czuję, że coś złego planuje. Zniknął w tej morwowej alejce!

– Malina, a jak wygląda ten pan Drążek? – Łukasz bez pytania był gotowy do działania.

– Przeraźliwie chudy, mówi się chyba tyczkowaty, z bardzo długim nosem. Grdykowata szyja...

– Jaka? – zdziwiła się Naniko.

– No, pan Drążek wygląda tak, jakby połknął jabłko, ale nie do końca przełknął i utkwiło mu ono w gardle – szybko wytłumaczyła Malina. – Tak z przodu szyi.

– Nieprzyjemna historia – pokręcił głową Franek.

– Bardzo – przytaknął Łukasz – a w co był ubrany?

Malina popatrzyła na Łukasza z podziwem. Zachowywał się jak prawdziwy detektyw. Normalnie Sherlock Holmes.

– Widziałam go przez chwilę – zastanowiła się, drapiąc po spuszonej czuprynie. – Zawsze był w jakimś ciemnym ubraniu... Ale zmieniać to się on potrafi. Jak kameleon jakiś.

– Rozejrzyjmy się zatem – powiedział Łukasz – i szukajmy na horyzoncie czegoś zaskakującego. Niepasującego do tych czasów. To go zdradzi. Według mnie ten pan Drążek wyprzedził nas w korytarzu czasu najwyżej o pół minuty. Musi być gdzieś blisko.

Wszyscy zaczęli się rozglądać. Milanówek sprzed stu laty był bardzo piękny. Miasteczko sprawiało wrażenie wielkiego ogrodu. Rosło w nim jakby jeszcze więcej drzew, wśród których królowały dęby; kwiatów, pachnących krzewów. I powietrze było czystsze. I ludzie bardziej uśmiechnięci. Całe rodziny spacerowały sobie wolnym krokiem alejkami. Panie pod parasolkami z jasnej przezroczystej tkaniny, które chroniły je nie przed deszczem, lecz słońcem. Chciały mieć widać jasne cery. I nikt nie rozmawiał przez telefon! Szok! Ale przecież wtedy jeszcze ich nie było i ludzie miło gawędzili ze sobą, umawiając się na różne spotkania, obiadki czy inne herbatki.

Uliczka, która rozpościerała się przed dziećmi, wyglądała jak najbardziej typowo. W pobliskim ogrodzie, podrzucając kolorowe kółka, bawiły się dzieci. Ich stroje niewiele różniły się od tych, w które byli ubrani nasi przyjaciele. Malina zauważyła, że droga, która za ich czasów jest już asfaltowa, tu caluśka piaszczysta. I nie było drutów od trakcji elektrycznych! Ani talerzy anten satelitarnych na domach! No tak. Poza tym nic naszych przyjaciół nie zaniepokoiło. Pana Drążka ani śladu.

Tymczasem drogą przejeżdżał na rowerze bardzo elegancki pan w kapeluszu. Mijając tyczkowatą paniusię z małym pieskiem, który wciąż się jej wyrywał, ukłonił się grzecznie, uchylając kapelusza. Ta jednak nie zareagowała. Ani dzień dobry nie powiedziała. Oj, bardzo nieładnie, pomyślała Malina, odprowadzając wzrokiem pańcię z bardzo zdenerwowanym czworonogiem.

W tej chwili szamoczący się piesek szarpnął paniusię za szaliczek i zerwał jej go z szyi. Ta chciała go jeszcze jakoś przytrzymać, ale nie udało się i oczom naszych małych detektywów ukazała się szyja. Dziwna, bo jakby z niepołkniętym jabłkiem w środku.

– To jest pan Drążek?! – oniemiała ze zdziwienia Malina. – Tam! Patrzcie!

Dzieci spojrzały. Widok był komiczny, bo był to naprawdę pan Drążek, tylko przebrany za kobietę. Miał na sobie wszystkie elementy damskiego stroju. Włącznie z halką i bucikami na małym obcasie. Starał się w nich naturalnie stawiać kroki, ale zupełnie mu to nie wychodziło. Chybotał się więc na wszystkie strony, co widać bardzo go denerwowało. Także małego pieska, którego wciąż trzymał pod pachą. Tuż obok zakupów w koszyczku.

– Malina – pierwszy odezwał się Franek – wydaje mi się, że pan Drążek nas nie widzi.

– Też tak myślę – wtrąciła się Naniko. – Przecież gdy pochylał się po psa na trawniku, staliśmy obok.

– Jak wryci! – dopowiedział Łukasz.

– Jak wryci – przytaknęła Malina. – Powinien więc nas rozpoznać, tymczasem tak się nie stało... A zatem, jesteśmy dla niego niewidzialni. Można to wytłumaczyć tylko w jeden sposób: pan Drążek mieszka w tych czasach, w które się przenieśliśmy. Myślę też, że wylądowaliśmy gdzieś około

roku tysiąc dziewięćset trzydziestego. Taki Milanówek to dzieciństwo mojej prababci Irenki. Byłam tu już podczas jednej z podróży ze szmaragdełkiem.

– Chodźmy więc za tą pańcią, a raczej... – poprawił się natychmiast Franek – za panem Drążkiem. Zaraz go zgubimy.

– Szybko – ponagliła Naniko – widać jasno, że coś knuje. Po co by się przebierał?

I dzieci pobiegły za panem Drążkiem, który już znikał za rogiem. Gdy odległość między nimi była w miarę bezpieczna, wyrównały krok i niczym doświadczeni śledczy zaczęły podążać jego śladem. Chwiejnym. Pan Drążek wciąż nie mógł okiełznać swoich butów na obcasie.

Mijając uroczą cukiernię, chwilę się zawahał. Malina wiedziała dlaczego. Pan Drążek był zawsze strasznym łasuchem i uwielbiał słodycze. Jednak spora kolejka oczekujących sprawiła, że z westchnieniem ruszył dalej. Bez słodkiego precelka czy innych łakoci.

– Musi mieć teraz potężnego romronka – zaśmiała się Malina. – Na ile go znam, będzie obrażony na cały świat.

Nie pomyliła się. Pan Drążek złapał już zły humor i bardzo niezadowolony kopnął leżący na drodze kamień. Mało umiejętnie, bo znów o mało co, a by się przewrócił w damskich butach.

– Jak on taki wielki rozmiar znalazł – zaczęła zastanawiać się Malina, ale nie zdążyła nic wymyślić, bo nagle stanęła jak wryta. Zamurowało ją tak gwałtownie, że reszta dzieci powpadała na siebie z tego nagłego hamowania.

DYNGS!

To wpadła Naniko.

DZBaM!

To Łukasz.

PiNGS!

I Franek. Razem z piłką.

Z wagonika kolejki EKD, której stacyjka mieściła się tuż przed dobrze dzieciom znaną pocztą, wysiadła śliczna dziewczyna z bujnymi, ciemnymi warkoczami, spiętymi po bokach w dwie kitki przewiązane jasnymi kokardami. Miała na sobie granatowy mundurek marynarski z dużym białym kołnierzem.

— Prababcia Irenka! — westchnęła Malina i w przypływie tony ciepłych uczuć przytuliła do serca szmaragdełko.

— To twoja prababcia? — dopytywała się Naniko, a reszta dzieci z wielkim zainteresowaniem, rozcierając obolałe nosy, odszukała dziewczęcą postać w tłumie ludzi na stacyjce EKD.

— No, no — zachwycił się Franek — petarda!

— Franek! — szturchnęła przyjaciela Malina — bo powiem, jak się wyrażasz o prababci Irence! Gdy tylko wrócimy do domu! A ta prababcia, którą widzisz, to po prostu panna Irenka...

I jakoś tak spontanicznie pomachała w kierunku dziewczyny. W tym momencie Irenka jakby zauważyła ten gest, uśmiechnęła się szeroko i serdecznie Malinie odmachała.

– Widziałaś to?! – przestraszyła się Malina. – Czy wy to widzieliście, czy ja za długo na słońcu byłam?

Przyjaciele nie byli mniej od niej zaskoczeni.

– To twoja prababcia nas widzi?! – wydukał Łukasz. – Czy to aby na pewno jest w porządku?

– Tak jak i mój pokój łącznie z szafą – trochę bez sensu albo i nie odpowiedziała Malina.

– A skąd niby mamy to wiedzieć – wyszeptała Naniko i złapała Malinę za rękę. – W każdym razie, idzie w naszą stronę! Aaaa!

Prababcia Irenka, a raczej panna Irenka, szybkim krokiem podeszła do naszych przyjaciół i każdego z radością wyściskała.

– Uff – powiedziała – myślałam, że nie zdążę. Jak ja się cieszę, że was widzę.

Kiedy dzieci wciąż nic ze zdziwienia nie odpowiadały, zupełnie jak nie one, roześmiała się wesoło.

– No oczywiście, że jesteście w szoku, wcale się nie dziwię. Malinko, Franka i twojego kolegę ze szkoły Łukasza znam.

PRABABCIA?

Przedstaw mi tylko, proszę, twoją nową koleżankę, bo jeszcze nie miałam przyjemności...

– To jest Naniko, prabab... – zacięła się Malinka, bo zgłupiała do reszty, co wcale mnie, autorkę, nie dziwi.

– Naniko. Piękne imię – uśmiechnęła się prababcia. – Proponuję, żebyście wszyscy w tej sytuacji mówili do mnie Irenko, dobrze?

– Dobrze, prabab... Irenko – poprawiła się skołowana Malina. A reszta dzieci bezgłośnie przytaknęła.

– Nie mamy zbyt wiele czasu, stąd muszę wam w wielkim skrócie wyjaśnić, co się dzieje. I jak to się stało, że was widzę – mówiła szybko Irenka. – Przeniosłam się w czasie dzięki przechowywanemu przeze mnie dla Malinki szmaragdełku. Nie gniewaj się, Malinko.

– Absolutnie, prabab... Irenko – grzecznie dygnęła Malina w swojej długiej sukience.

– A tak w ogóle, pięknie wyglądacie w tych strojach i szkoda, że tylko ja was widzę – puściła oko śliczna Irenka. – Ale wróćmy do tematu. Podejrzewam, że właśnie dziś wydarzy się coś, co wpłynie na dalsze losy jedwabiu z Milanówka. Wydaje mi się, że drogocenna kolekcja jedwabiu zniknie właśnie dziś w tajemniczych i niewyjaśnionych okolicznościach. Myślę, że stanie się to przy okazji wizyty prezydenta. Dlatego cię, Malinko, dzięki szmaragdełku ściągnęłam... A z tobą z jakichś powodów również twoich przyjaciół...

– Ach tak – myślała głośno Malina – zaczynam wszystko rozumieć.

– Ja jeszcze nie bardzo, ale zrobię wszystko, by się przydać – zachłysnął się Łukasz. – To naprawdę jest niesamowite. Aż kręci mi się w głowie, nawet w grach komputerowych nie ma takich akcji!

– Będę wyjaśniać wam wszystko po drodze – ciągnęła Irenka. – Teraz jednak jak najszybciej musimy znaleźć się w willi „Józefina". Tam znajduje się kolekcja, która według moich wyliczeń prawdopodobnie zaraz zniknie.

– Eureka! – klasnęła w dłonie Malina, używając po raz drugi w ciągu krótkiego czasu tak trudnego słowa. – Już chyba wiem, dokąd zmierza przebrany pan Drążek. Właśnie tam! Do „Józefiny"!

– Pan Drążek?! – Irenka otworzyła szeroko oczy ze zdumienia, ale pociągnięta lekko za rękaw przez Malinę, dziarsko podążyła za nią.

Zdecydowanym krokiem grupa przyjaciół z Irenką i Maliną na czele ruszyła w kierunku ulicy Piasta. Mimo że narzucone tempo było spore, tuż obok nich dostojnie przejechał niezwykły wehikuł. Była to limuzyna prezydenta. Wielki lśniący czarny rolls-royce.

– Nie zdążymy!!! – zmartwił się Franek. – To samochód prezydenta!

– Nie panikuj – uspokoił go Łukasz. – Walczymy do końca, jak na meczu. Zostaw może tę piłkę. Chociaż... Dobra. Trzeba będzie czymś mecz zakończyć, gdy wrócimy.

Franek bowiem przez cały czas pilnował ich pięknej futbolówki, która również w niezwykły sposób przeniosła się w czasie.

Gdy dzieci stanęły przed willą „Józefina", pierwsze, co zobaczyły, to prezydencki samochód i wyprężonego obok niego jak struna adiutanta, który go sumiennie, aczkolwiek bez sumiastych wąsów, pilnował. Wszyscy, zarówno przybyli goście, jak i domownicy, znajdowali się już na piętrze willi. Przez otwarte okna dochodziły stamtąd przyjemny gwar i dźwięki muzyki. Ktoś grał na fortepianie.

Irenka nagle ukryła się za drzewem.

– Was nikt nie zauważy – wyjaśniła – ale mnie widać jak na dłoni. Może się to jednak przydać...

W tym momencie na dziedziniec przed willą wbiegł dobrze znany dzieciom piesek. Tuż za nim pańcia z koszyczkiem warzyw, która, jak wiecie, pańcią wcale nie była, tylko zakamuflowanym panem Drążkiem.

– Jest! – szepnęła Malina.

– Irenko, schowaj się szybko.

Reszta przyjaciół, choć dla innych byli przecież przezroczyści jak powietrze, też przytuliła się do drzewa.

– Proszę pana, proszę pana – zaskrzeczał cieniutkim głosem przebrany za panienkę pan Drążek prosto w stronę przystojnego adiutanta. – Czy mógłby mi pan pomóc złapać mojego pieska? Pimpuś się nazywa.

Adiutant przez chwilę się zawahał. Był przecież na służbie i odejść od auta prezydenta nie powinien. Jednak ta panienka tak miło prosi. Pan prezydent by się pewnie zgodził na niewielkie odstępstwo od regulaminu.

I już za chwilę ganiał za pieskiem po całym podwórku. Rzucał się za nim w krzaki, przymilnie ciumkał, czołgał się. Piesek, niestety, cały czas był szybszy.

Tymczasem pan Drążek niby mimochodem stanął tuż za autem. Wyjął z koszyczka sporych rozmiarów ziemniak i zaczął go w dłoniach obracać.

– Co on kombinuje? – wystraszyła się Malina, patrząc, jak pan Drążek umieszcza warzywo w rurze wydechowej limuzyny.

– ON unieruchamia samochód – fachowo objaśnił Łukasz. – Widziałem to kiedyś na jakimś filmie, tylko tam była szmata.

– *Czterej pancerni i pies* – rzucił Franek, co niezmiernie zdziwiło Naniko. Pies rzeczywiście biegał jeden po podwórku, ale o co chodzi z tymi pancernymi?

– Irenko – zadecydowała szybko Malina – gdzie jest ta kolekcja?

– Myślę, że w podziemiach willi, tam, gdzie pierwsze laboratorium.

– Zostań tu teraz, proszę, na straży – kontynuowała Malina – i czekaj na nasz znak. Gwizdnę, jeśli będziemy cię potrzebować. My zakradniemy się teraz za panem Drążkiem i spróbujemy pokrzyżować mu plany.

– Jestem pewna, że to właśnie on ukradnie kolekcję – zmartwiła się Irenka – ale wszystko w waszych rękach! Czekam na straży. Biegnijcie i... powodzenia!

Irenka schowała się bardziej za drzewo rosnące tuż przy tarasie willi, a dzieci śmiało, bo przez środek podwórka, udały się w ślad za panem Drążkiem, który właśnie wszedł do willi „Józefina". Dogonili go i już po chwili byli tak blisko, że gdyby chcieli, mogliby dotknąć pleców złoczyńcy.

Pan Drążek zrzucił w przedpokoju damskie buty, głęboko odetchnął i wówczas zwinnie jak kot wbiegł na pierwsze piętro. Przebiegł przez korytarz, dopadł do drzwi salonu, gdzie odbywało się powitalne spotkanie z prezydentem. Potem skrzywił się szelmowsko i od zewnątrz jednym ruchem przekręcił klucz w drzwiach. Wyjął go bezszelestnie z dziurki i schował do kieszeni sukienki, w którą wciąż był ubrany.

He, He, He...

– Malina – szepnęła Naniko – on zamknął gości w środku!

– Wiem – odszepnęła Malina, której serce biło bardzo szybko i prawie nie mogła oddychać.

– Co robimy? – Franek tylko czekał na decyzję.

– Patrzcie – zaalarmował Łukasz – schodzi na dół!

– Pewnie tam, gdzie znajduje się kolekcja jedwabiu! Trzeba mu natychmiast zabrać klucz.

– Ale jak?

– Mam pomysł – ucieszył się Franek i wskazał na piłkę. – Czy przedmioty, które przenoszą się w czasie, są widoczne?

– Sprawdźmy – klasnęła w dłonie Malina, odgadując w lot, o co Frankowi chodzi.

Naniko kiwnęła głową na znak zgody, a Łukasz podszedł do Franka.

– Ponieważ to ty jesteś bramkarzem, a ja gram w ataku – zaczął – czy uczynisz mi zaszczyt, bym to ja wykonał strzał nożny prosto w zadek pana Drążka?

Ukłonił się przy tym z wielką elegancją, co rozśmieszyło wszystkich nawet w tak nerwowej sytuacji.

– Proszę zatem – powiedział Franek – poczekaj tylko na odpowiedni moment.

Pan Drążek znalazł się już w podziemiach willi. Otworzył sekretne drzwi i oczom wszystkich, bo dzieci były tuż za nim, ukazała się barwna, lśniąca komnata. Wypełniona była po brzegi kolorowymi tkaninami. W jednej części pokoju, w ogromnej szklanej gablocie, tuż obok drewnianych krosien, służących prawdopodobnie do wytwarzania jedwabnych nici, leżały najcenniejsze jedwabne próbki.

Pan Drążek stłukł szybę gabloty, przewracając przy okazji ogromne urządzenia do tkania. Szkło rozsypało się po podłodze. Zrobił się przy tym naprawdę całkiem niezły hałas, który oczywiście usłyszeli goście w salonie. Nawet tu było słychać, jak starają się otworzyć drzwi salonu, w którym zostali uwięzieni. Były one jednak zamknięte. Ktoś wychylił się przez okno, było jednak za wysoko, by przez nie wyskoczyć. Zaczęto nawoływać adiutanta, ten jednak zniknął gdzieś w krzakach w poszukiwaniu psa „panienki".

Pan Drążek z wstrętnym wyrazem twarzy zgarnął cenną kolekcję do wielkiego worka, który do tej pory trzymał w ukryciu. Nie zgadlibyście gdzie, bo wcześniej worek ten wyglądał jak halka i znajdował się pod sukienką pana Drążka. Pakując, przez chwilę złodziej przytrzymał w ręku jeden z drogocennych kawałków.

– To na pewno to płótno spadochronowe z jedwabiu – zdenerwowała się na dobre Naniko. – Zatrzymajmy go, ale już!

– Jeszcze chwila – Łukasz przymierzał się do strzału – czekamy. Daleko nam nie ucieknie!

Gdy tylko pan Drążek wykonał w tył zwrot i ruszył w kierunku drzwi wyjściowych z willi, Łukasz podrzucił piłkę wysoko i kopnął, podkręcając w locie niczym słynny David Beckham. Albo, bo po co daleko szukać – sam Kuba Błaszczykowski.

I piłka jakby magnesem ciągnięta poleciała prosto w stronę pana Drążka i z impetem trzasnęła go w pupę.

Aaaaaaa...

Ale jak! Było to głośniejsze niż przewrócenie szklanej gabloty z krosnami.

Pan Drążek przewrócił się z wrażenia. Gdyby miał jeszcze damskie buty na nogach, na pewno by z nich wyleciał. Cała zawartość worka natomiast wysypała się na podłogę. W górę poleciał też klucz z jego kieszeni, który Franek jak wyśmienity golkiper pochwycił w powietrzu. Pan Drążek zamiast zerwać się i uciekać, ile sił w nogach, był tak oszołomiony uderzeniem, że leżał jak śledź i ze strachu się nie ruszał. Poza tym kompletnie zaplątał się w sukience, w której raczej na co dzień nie chodził, nie wiedział więc, jak problem z nią rozwiązać.

Malina przytomnie gwizdnęła na dwóch palcach w kierunku Irenki, która stała blisko na czatach. Ta usłyszała gwizdnięcie i w dwóch susach wskoczyła na taras willi. Podbiegła do pana Drążka i przytykając mu kijek do pleców, a zdążyła chwycić go po drodze, krzyknęła jak w najprawdziwszych filmach kryminalnych:

– Ręce do góry, złodzieju!

Wzbudziła tym podziw niewyobrażalny u wszystkich dzieci. Pan Drążek tymczasem nie za bardzo mógł jej polecenie wykonać. Choć naprawdę chciał. Ale cały zaplątany był w damskie halki, gorseciki czy tam inne serdaczki.

Franek rzucił klucz do Łukasza, który z tarasu, jak z przedpola bramki, pięknym rzutem posłał go prosto w ręce eleganckiego pana, który stał w oknie.

BZINK

Po chwili wszyscy goście byli już na dole i ze zdziwieniem patrzyli na śliczną dziewczynkę, która na pierwszy rzut oka sprawiała wrażenie, że przewróciła jakąś panią niewielkim kijkiem. Byli jeszcze bardziej zdziwieni, gdy owa pańcia okazała się mężczyzną. I to jeszcze takim, który chciał ukraść unikatową kolekcję jedwabiu. Tego niepowtarzalnego jedwabiu, bo dzięki pierwszym wyhodowanym w Milanówku jedwabnikom i ich kokonom.

– Dziecko drogie! – jedna z pań odłączyła się od tłumu – dziękujemy! Uratowałaś naszą ukochaną kolekcję.

– Uspokój się, Stasiu – powiedział jakiś pan, który następnie zwrócił się do najważniejszej osoby w państwie: – Panie prezydencie, to jest właśnie jedwab, który chciałem panu pokazać. Szkoda, że na podłodze, ale zawsze.

– Jak się nazywasz, dzielna Amazonko? – zapytał pan prezydent, zwracając się do prababci, która zaskoczona takim przebiegiem akcji stała wciąż z kijkiem przytkniętym do pleców pana Drążka.

– Irena...

– Jesteśmy ci bardzo wdzięczni za udaremnienie kradzieży. A tego ancymona proszę natychmiast zabrać sprzed naszych oczu i zawieźć do aresztu.

Na te słowa jakby spod ziemi wyrósł pan adiutant, za którym radośnie merdając ogonkiem, wbiegł mały piesek. Tak mu się zabawa w chowanego z adiutantem spodobała, że postanowił się z nim zaprzyjaźnić i już go ani na krok nie opuszczać.

Gdy pan Drążek będąc jeszcze w zupełnym szoku, został przez adiutanta i pieska wyprowadzony, pan o imieniu Henryk, który był bratem miłej, chociaż wciąż szlochającej pani Stasi, zapytał Irenkę:

– Skąd miałaś tyle odwagi, by powstrzymać niebezpiecznego przestępcę? I to jeszcze zupełnie sama.

– Niezupełnie sama, bo...

Ale w tym momencie Malina odważyła się dać prababci kuksańca.

AUĆĆĆ- O!

– Słucham? – zainteresował się pan prezydent. – Aucio?

– Nie, nie – starała się wybrnąć z kłopotliwej sytuacji zawstydzona Irenka – aucio... auto! Bo jest jeszcze jedna sprawa. Ten straszny pan Drążek prawdopodobnie unieruchomił pana rolls-royce'a. Kartoflem!

Rzeczywiście samochód stał jak zaklęty, dopóki ziemniaka z rury wydechowej nie wyjęto.

– Brawo, młoda damo – klaskali goście wraz z Maliną, Naniko, Frankiem i Łukaszem.

Wszyscy byli szczęśliwi, że tak fajnie przygoda się zakończyła. Goście, bo zostali uwolnieni. Pan Henryk z panią Stasią, bo odzyskali swoją ulubioną kolekcję. Irenka, czyli prababcia Irenka, że jej plan się powiódł. A nasi przyjaciele, że przeżyli coś tak fantastycznego. Zmienili bowiem bieg historii. Wiedzieli, że kiedy wrócą do Milanówka swoich czasów, będą mogli tę bezcenną kolekcję obejrzeć. Ach! Pamiętajmy też o piesku, który w osobie adiutanta prezydenta znalazł wreszcie swojego właściciela. Adiutant bowiem postanowił wziąć pieska ze sobą. Jako prezent dla żony. Chcąc podziękować dzielnej dziewczynce, pan Henryk podniósł z ziemi jeden z unikatowych szali. Był przepiękny, delikatny, pomalowany w kwiaty.

– Irenko, przyjmij od nas ten skromny prezent. Niech zawsze przypomina ci o tym dniu i o tym, jak wspaniała jest właścicielka, która będzie go nosić.

Gdy prezydent ze świtą ruszał na spóźnione przez te wszystkie wydarzenia śniadanie do willi Emanów, nasi przyjaciele ucałowawszy Irenkę na pożegnanie, bo wracała

do domu inną drogą, wskoczyli do otwartego przez szmaragdełko Maliny korytarza czasu.

HYC!

Byli już tak zmęczeni przygodą, że pozwalali się unosić
w przestrzeni kolorowym szkiełkom. Wyglądało to trochę
tak, jakby dryfowali na tafli wody. Tyle że w kosmosie.

PLUM!

Plum, czyli lądowanie było tak zaskakujące, że Franek nie
zdążył złożyć się do obronnego skoku na bramce, w której
się nagle pojawił. W tym momencie piłka kopnięta przez
Łukasza Milskiego minęła go łukiem i triumfalnie załopo-
tała w siatce.

GOOOOOOL!

Ryknęły trybuny. Mecz zakończył się wynikiem 0:1,
o czym tubalnym, nieznoszącym sprzeciwu głosem poinformowała kibiców przez megafon pani dyrektor Marcelina
Piorun-Hyży, mówiąc: REMIS.

Widzowie znów odwrócili głowy w kierunku pani dyrektor, a dowcipny pan listonosz, który jak pamiętacie, był sędzią, pomachał jej z boiska czerwoną kopertą. Jak kartką.
Tak się niby wachlował z gorąca.

Malina z Naniko głośno biły brawo, a widząc, że chłopcy
ich wypatrują, pomachały im wesoło z trybun. A nawet,

po chwili zastanowienia, posłały dwa buziaki, z czego Franek i Łukasz wyraźnie się ucieszyli. Można było to ucieszenie się nawet usłyszeć. Przytknijcie ucho do książki. I jak, słychać? ☺

GOoooooL!

I tak kończymy opowieść o przygodach Maliny. Także jej przyjaciół i rodziny. Wszyscy we wspaniałych nastrojach wybrali się właśnie na popołudniową potańcówkę do willi „Józefina". Naniko obiecała też zabrać wieczorem Malinę, Franka i Łukasza na wyprawę w przeszłość ze swoim talizmanem Sanuri. I to do swojego rodzinnego miasta, stolicy Gruzji, Tbilisi. Czy spotka tam ich kolejna przygoda? Nie mam cienia wątpliwości. Ale to już inna historia...

Bardzo się cieszę, że byliście z nami. Mam też nadzieję, że także fajnie się bawiliście, a nawet w kilku momentach gromko zaśmialiście.

To jednak nie do końca koniec, bo jak wiecie, każdy kij ma dwa końce. Choć książka oczywiście kijem nie jest. Ale! Pierwsze zadanie, które na Was czeka, to zabawa o nazwie KARTOFEL. Przyznaję, kryć się z tym nie będę, że to wszystko przez tego ziemniaka wetkniętego w rurę wydechową limuzyny prezydenta.

Zaproście teraz do zabawy jedną osobę. W kwadracie pod tekstem, w różnych miejscach,

ZABAWA W KARTOFLA

napiszcie liczby od 1 do 15. Cyfrę 1 zakreślcie kółkiem. To będzie nasz kartofel. Zabawa polega na łączeniu po kolei liczb. Tak na zmianę. Raz ty, raz osoba, z którą grasz. Na początku sprawa jest prosta, ale potem, pamiętając, że linie nie mogą za żadne skarby się dotykać, robi się ciekawie. Komu uda się za każdym razem zrobić łącznik – wygrywa ☺

Natomiast drugie zadanie polega na wpisaniu w poniższe kratki wszystkich MAGICZNYCH liter zebranych z trzech rozdziałów książki. Z pierwszego: 26, z drugiego: 14, z trzeciego: 22. Stworzą one krótki wierszyk, który składa się z wielu najśmieszniejszych polskich słów. Przeczytajcie go potem koniecznie na głos, wyobrażając sobie przedstawiony w nim figiel-migiel ☺

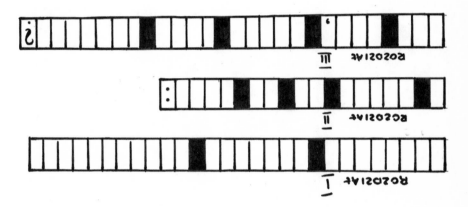

SPIS TREŚCI

PYTAJCIE TAKŻE O:

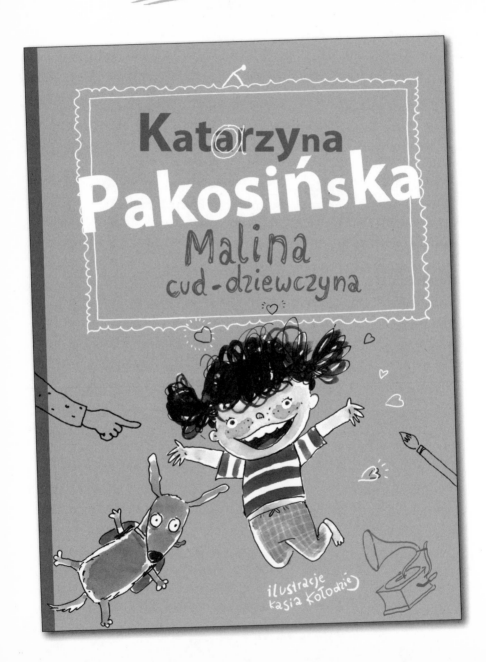

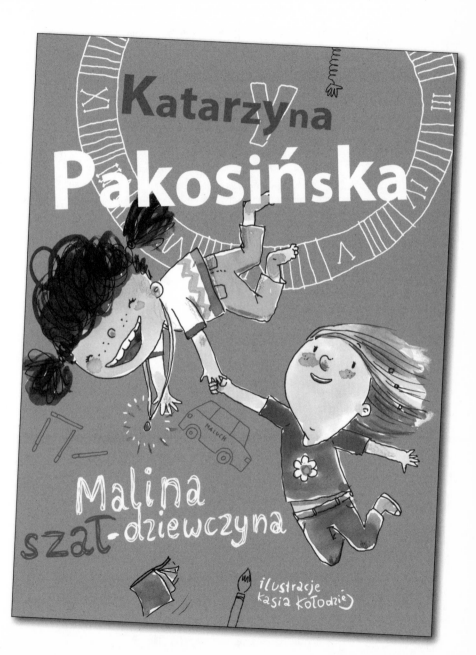

Katarzyna Pakosińska

Malina szał-dziewczyna

ilustracje
kasia kołodziej

Ilustracje i opracowanie graficzne: *Katarzyna Kołodziej*
Redakcja: *Sławomira Gibka*
Redakcja techniczna: *Sylwia Rogowska-Kusz*
Korekta: *Zespół*

© for the text by Katarzyna Pakosińska
© for this edition by MUZA SA, Warszawa 2017

Wszelkie prawa zastrzeżone.
Żadna część niniejszej publikacji nie może być reprodukowana,
przechowywana jako źródło danych i przekazywana w jakiejkolwiek
formie zapisu bez pisemnej zgody posiadaczy praw.

ISBN 978-83-287-0894-5

Książkę wydrukowano na papierze
Lux Cream 1.6 80 g/m²
dostarczonym przez ZiNG Sp. z o.o.

www.zing.com.pl

MUZA SA
ul. Sienna 73
00-833 Warszawa
tel. +4822 6211775
e-mail: info@muza.com.pl

Dział zamówień: +4822 6286360
Księgarnia internetowa: www.muza.com.pl

Wydanie I
Warszawa 2017

Skład i łamanie: MAGRAF s.c., Bydgoszcz
Druk i oprawa: Colonel S.A., Kraków